De Koran in een notendop

Uitgeverij Prometheus stelt alles in het werk om op milieuvriendelijke en duurzame wijze met natuurlijke bronnen om te gaan. Bij de productie van dit boek is gebruikgemaakt van papier dat het keurmerk van de Forest Stewardship Council (FSC) mag dragen. Bij dit papier is het zeker dat de productie niet tot bosvernietiging heeft geleid.

Robbert Woltering en Michiel Leezenberg

De Koran in een notendop

2009 Uitgeverij Bert Bakker Amsterdam

Omslagontwerp Marieke Oele
Foto omslag ANP
www.uitgeverijbertbakker.nl
ISBN 978 90 351 3049 4

Uitgeverij Bert Bakker is onderdeel van Uitgeverij Prometheus

Inhoud

1 Inleiding

Waarom het nuttig is kennis van de Koran te hebben

Iets meer dan drie eeuwen geleden bracht de West-Friese geleerde Adriaan Reland zijn tweeluik *De religione Mohammedica* (Over de Mohammedaanse religie) uit. Daarin beklaagde hij zich over de vooringenomen wijze waarop de islam in zijn tijd werd besproken en beschreven. Reland wees op misverstanden over de islam, zijn profeet Mohammed en zijn Koran. Hij was overtuigd calvinist en meende dat de islam een dwaalspoor was; maar in zijn ogen maakte dat de noodzaak van een nuchtere bestudering van de islam en van de Koran in het bijzonder, er niet minder om. Relands onomwonden weerlegging van talrijke wijdverbreide misvattingen over de islam en de Koran deed veel stof opwaaien en de rooms-katholieke kerk verbood zijn boek. Dit verhinderde niet dat zijn werk over heel Europa werd verspreid en spoedig in alle grote Europese talen werd vertaald.

Waar het de Koran betreft, zien we ook in onze tijd nog wel eens misverstanden, vooringenomenheid en verbodsdrift. Dat heeft duidelijke politieke en sociale oorzaken: het ontstaan van moslimgemeenschappen in Nederland en elders in Europa, politieke onrust in het olierijke Midden-Oosten en natuurlijk meest recentelijk terroristische aanslagen uit radicaalislamitische hoek. Dat zijn fenomenen die bij veel mensen leiden tot een beeld van de islam en de Koran als bronnen van zorg of angst.

Wie de islamitische wereld beter wil begrijpen, doet er goed aan zich te verdiepen in de islamitische godsdienst. Die kan niet worden begrepen zonder dat men weet heeft van de elementaire betekenissen van de Koran voor moslims. Dat is één kant van het belang van kennis van de Koran. Die kant moet overigens niet worden overdreven: naast de Koran zijn er nog andere even zo heilige teksten waarop de islam is gebaseerd (de zogeheten 'tradities', ofwel de berichten over het doen en laten van de profeet Mohammed). Hoe de daadwerkelijk gepraktiseerde islam vervolgens vorm krijgt is afhankelijk van tijd en plaats. Denken en gedrag van moslims worden bovendien niet uitsluitend door hun geloofsovertuiging bepaald.

Afgezien van de bovengenoemde maatschappelijke relevantie van kennis van de Koran is het ook boeiend om te weten hoe de Koran – waarschijnlijk – tot stand is gekomen. In hoeverre wordt de vrome heilsgeschiedenis door objectief wetenschappelijk onderzoek ondersteund of juist ondergraven? Ook levert de Koran interessante visies op de aard van mens en God en biedt hij aanknopingspunten voor spannende verhalen. Daarnaast is het fascinerend om te zien hoe de heilige boeken Thora, Evangelie en Koran zich tot elkaar verhouden: wat hebben ze met elkaar gemeen, waar spreken de verhalen elkaar tegen? Dat is onder meer, maar zeker niet alleen, de moeite waard voor degenen die getroffen zijn door de opmerkelijke theologische overeenkomsten tussen de Koran en de Bijbel. Een van de eerste dingen die de beginnende lezer opvallen, is dat in de Koran met zo veel woorden wordt gezegd dat joden en christenen een deel van de ware, monotheïstische openbaring hebben ontvangen. Op het eerste gezicht lijkt het erop dat het Oude en Nieuwe Testament als legitieme delen van de openbaring worden aanvaard. Wat zijn dan precies de theologische overeenkomsten tussen de Koran en de Bijbel? Al deze vragen worden in deze notendop behandeld. Daarmee hopen we niet alleen evidente misverstanden weg te nemen, maar ook recente inzichten op het gebied van de Koranstudie voor een breder publiek inzichtelijk te maken.

Vertalingen

Aan het eind van dit boek treft de lezer een korte literatuurlijst met aanbevolen werken aan. Er is echter een categorie van boeken die al in deze inleiding dient te worden vermeld: Koranvertalingen. Wie de Koran wil leren kennen kan het best beginnen met een inleidend boek op de Koran zoals het onderhavige. Direct daarna of daarnaast is het uiteraard zaak om de Koran zelf te lezen. Weinig lezers van deze notendop zullen het Arabisch voldoende machtig zijn om de Koran in zijn originele taal te lezen. Ook mensen met een Arabische achtergrond in Nederland hebben vaak behoefte aan een Nederlandse vertaling. Er wordt vaak beweerd, door zowel moslims als niet-moslims, dat het 'eigenlijk' niet toegestaan is de Koran te vertalen. De reden zou zijn dat de Koran door moslims wordt gezien als het letterlijke woord van God, en dat het niet past Gods woorden te vatten in andere woorden. Bovendien lezen we in de Koran dat 'dit een duidelijke Arabische oplezing' is en daarin zou men een teken kunnen zien dat het niet de bedoeling is dat deze oplezing vertaald wordt. Een ander probleem is dat een vertaling noodzakelijkerwijs ook een keuze is voor een bepaalde interpretatie en het zicht ontneemt op andere mogelijke betekenissen van de Korantekst. Toch is de strijd over de vraag of de Koran nu vertaald mag worden of niet, allang gestreden. In vrijwel elke grotere taal is een Koranvertaling beschikbaar. Zolang zulke vertalingen worden gebruikt bij wijze van uitleg en niet als vervanging van het Arabische origineel, zijn er geen theologische bezwaren. Met andere woorden, voor gelovige moslims die het Arabisch niet machtig zijn geldt in feite de volgende praktische regel: men kan best de Koran in een (Nederlandse) vertaling lezen om te weten te komen wat de Koran inhoudelijk te melden heeft, maar tijdens het gebed dient men de originele Arabische bewoordingen te hanteren.

Overigens is er naast bovengenoemd theologisch bezwaar een veel praktischer bezwaar tegen Koranvertalingen en dat betreft het poëtische karakter van de Korantekst. Voor veel moslims is het aanhoren van Koranrecitatie een intense en emotionele ervaring. Dat heeft natuurlijk alles te maken met de overtuiging dat hier de woorden Gods worden gehoord, maar het heeft ook te maken met het feit dat de Koran een ritmiek en een rijm heeft die in geen enkel ander Arabisch boek gehanteerd worden. Een groot deel van het effect van de Korantekst ontstaat door het ritme van de voorgedragen zinnen en van de op elkaar volgende en elkaar versterkende beelden die erin tot uitdrukking komen. Die literaire dimensie en muzikaliteit gaan in een vertaling – en in mindere mate bij het in stilte lezen van de tekst – onherroepelijk verloren.

Er staat de lezer een bescheiden aantal opties ter beschikking. De klassieke Nederlandse vertaling is van de Leidse arabist Kramers uit 1956. Kramers' bedoeling was met zijn vertaling een gevoel van verwondering, bevreemding en fascinatie op te roepen bij de Nederlandse lezer. Zo hoopte hij de ervaring te benaderen die de eerste toehoorders van de Koranische boodschap moeten hebben gehad: ook het Arabisch van de Koran was (en is) immers ongewoon. Kramers heeft daarom in zijn vertaling een heel ongebruikelijk Nederlands gehanteerd. Dat leidde tot een vertaling die weliswaar qua moeilijkheidsgraad de Koran benaderde, maar het had ook als gevolg dat bepaalde passages ronduit onbegrijpelijk werden weergegeven (zo treffen we in zijn vertaling woordvondsten aan als 'neerstijgen' en 'kameelvogels'). In 1992 kwam daarom een nieuwe editie uit in een enigszins gemoderniseerd en begrijpelijk gemaakt Nederlands. Toen was de vertaling van de Groningse arabist Leemhuis al enkele jaren beschikbaar. Deze vertaling is gebaseerd op een heel andere vertaalfilosofie. Leemhuis vertaalde de Koran op de wijze waarop deze door moslims in de moderne tijd wordt begrepen. Bijvoorbeeld waar Kramers spreekt van 'genotengevers' (in de betekenis van mensen die God een 'genoot' geven met wie God de verering door zijn schepping moet delen), daar spreekt Leemhuis gewoon van 'veelgodendienaren'. Dat levert enerzijds een veel begrijpelijker tekst op, anderzijds is ook hier wel wat op af te dingen. Hoe stelt men vast dat moslims een bepaald vers begrijpen op de wijze die in zo'n interpreterende Nederlandse versie tot uitdrukking komt? Nog afgezien van het feit dat menige Koranpassage door de gemiddelde moslim überhaupt niet wordt begrepen, zijn er talrijke verschillen van mening over de duiding van bepaalde verzen. Tot op zekere hoogte is dat laatste natuurlijk een probleem voor elke Koranvertaling, niet het minst voor vertalingen die met vrome bedoelingen zijn gemaakt.

Naast de vertalingen van de islamologen Kramers en Leemhuis, die vanuit een wetenschappelijke interesse de Koran hebben bestudeerd en vertaald, beschikken we ook over twee vertalingen van islamitisch-theologische zijde. De oudste vertaling naar het hedendaags Nederlands is die van de Ahmadiya-beweging (door Rietberg en Muhammad Ali). Deze is echter vooral gebaseerd op een Engelse vertaling en staat dus verder van de brontaal af. Afgezien van dat euvel maken veel moslims bezwaar tegen de Ahmadiya-beweging en dus ook tegen de vertaling die door deze beweging is uitgebracht. Een andere vertaling is die van Sofjan Siregar, die door sommigen in Nederlandse moslimkringen wordt beschouwd als een 'orthodoxe' (overigens grijpen Turks-Nederlandse moslims eerder naar een standaard-Turkse vertaling).

In bovenstaande opsomming ontbreekt nog een bekende recente vertaling, namelijk die van de Perzisch-Nederlandse schrijver Kader Abdolah. Abdolah heeft een wetenschappelijke noch een vrome doelstelling gehad bij zijn vertaling. Zijn Koran is meer een maatschappelijk-literaire onderneming, waarin letterlijke betekenissen moeten wijken voor vrije poëtische associaties en maatschappelijke wenselijkheden. Bij Abdolah is God een humanistische lieverd, omdat Abdolah hem zo het liefste ziet. Ook op talrijke andere punten permitteert Abdolah zich stilistische en inhoudelijke vrijheden. Vanuit literair oogpunt is dat volkomen legitiem en het is misschien ook wel de leukste Koranvertaling waar we in het Nederlands over beschikken. Maar men moet niet denken dat Abdolahs vertaling een nauwkeurige weergave is van de Koran als centrale tekst van het islamitische godsdienstige systeem.

Doorgaans is in dit boek uitgegaan van de vertaling van Leemhuis, waarbij soms kleine wijzigingen zijn aangebracht wanneer de gelegenheid daarom vroeg. De vindplaats wordt naar academisch gebruik genoteerd door het soeranummer na een dubbele punt te laten volgen door versnummer(s).

Uiterlijke vorm

Van oude boeken bestaan vaak meerdere versies. Dat geldt temeer als het gaat om een zeer gewild boek. Waar dit verstrooiende of wetenschappelijke literatuur betreft is dat geen probleem, maar als het om een heilig boek gaat, wordt het als ongewenst ervaren dat er verschillende versies van in omloop zijn. Religieuze autoriteiten zullen zich dan ook algauw inzetten voor een zo eenvormig mogelijke Schrift.

De verschijningsvormen van de Koran zijn in onze tijd heel overzichtelijk. De Koran bevat 114 hoofdstukken (*soera's*), die in totaal iets meer dan 6200 verzen (*aya's*) bevatten. De soera's zijn grofweg naar hun lengte ingedeeld: van lang naar kort, de korte eerste soera uitgezonderd. De Koran is gesteld in het Arabische schrift; daarin schrijft men alleen de medeklinkers van een woord en de lange klinkers. Het woord 'klinker' zou in het Arabisch bijvoorbeeld worden geschreven als 'klnkr'. De oudste vorm van dit schrift had echter nog niet voor elke medeklinker een ander teken. Dat maakte teksten vatbaar voor erg veel verschillende lezingen. Om misverstanden tegen te gaan werden al snel hulpmiddelen ontwikkeld die het onmogelijk maakten om bijvoorbeeld een r te lezen waar een z werd bedoeld, of die de b van de r moesten onderscheiden, et cetera. Daarbij werd tevens een methode gevonden om ook de klinkers te schrijven, zodat het ten slotte onmogelijk werd om 'klinker' per abuis voor 'kolenkar' aan te zien. Tegen de tijd dat hier enigszins vaststaande methodes voor waren geformuleerd, circuleerden er echter al diverse lezingen van de Koran. In de moderne tijd is het aantal varianten teruggebracht tot slechts twee. In Afrika (Egypte uitgezonderd) wordt de zogeheten lezing van Warsh gehanteerd, die teruggaat op Nafi (gest. 785). In Egypte en elders in de wereld is de lezing van Hafs in gebruik, die wordt teruggevoerd op Asim (gest. 745). De lezingen verschillen in de meeste gevallen niet veel van elkaar. Het gaat veelal om de uitspraak van bepaalde letters of lettercombinaties.

Omdat de Koran geen leestekens heeft is er soms ook verschil van mening over waar een zin ophoudt, zoals in *dhâlik al-kitâb lâ rayb fîhi hudan li al-muttaqîn* (2:2). Afhankelijk van of men pauzeert na *fîhi* (erin) ofwel na *rayb* (twijfel), leest men dit vers als 'Dat is het boek waarin geen twijfel is, een leidraad voor de godvrezenden' of 'Dat is het boek zonder twijfel, erin is een leidraad voor de godvrezenden'. Dergelijke verschillen in lezing leiden zelden tot belangrijke inhoudelijke verschillen in de betekenis van de tekst. Dat wil niet zeggen dat er over de volledigheid en de 'authenticiteit' van de Koran geen twijfel bestaat. Daarop zullen we in hoofdstukken drie en tien nog terugkomen. Voor nu is het echter van belang te constateren dat er al in een vroeg stadium van de islamitische geschiedenis overeenstemming is bereikt over de Korantekst, die op verschillende wijzen gelezen kan worden zonder dat daardoor de betekenis noemenswaardige verschuivingen ondergaat.

De dominantie van de bovengenoemde lezing van Hafs is relatief toevallig. In 1924 verscheen in Egypte de zogenaamde 'koninklijke editie' van de Koran in druk. Deze editie volgt de lezing van Hafs en geeft aan het begin van elke soera essentiële informatie over het betreffende hoofdstuk, zoals waar en wanneer de soera is geopenbaard, hoeveel verzen hij telt en waaraan de titel van de soera is ontleend. (Deze begeleidende informatie maakt overigens geen deel uit van de openbaringstekst: we zullen ook zien dat het helemaal niet zo duidelijk is waar en wanneer welk deel van de Koran is geopenbaard, en menige soera is bekend onder meerdere namen.)

Hoewel ook andere edities in andere lezingen evenzeer 'geldig' zijn, is de Egyptische koninklijke editie vanwege de culturele invloed van Egypte en het religieuze gezag van de Egyptische Azhar-universiteit uitgegroeid tot de internationale standaard.

De Koran in het dagelijkse islamitische leven

Dikwijls wordt de Koran voorgesteld als een soort religieus wetboek of zelfs als een politiek traktaat. Dat is echter niet de manier waarop de gemiddelde moslim de Korantekst beleeft. In het alledaagse leven worden enkele specifieke delen van de Koran geregeld gebruikt, niet als wetsvoorschrift, banvloek of politieke slogan, maar eerder voor rituele doeleinden. De frase *bismillâh ir-rahmân ir-rahîm*, 'in de naam van God de erbarmer, de barmhartige', wordt vaak gebruikt als een soort generieke bezweringsformule; de eerste soera, 'De Openende' (Arabisch: *al-Fatiha*), wordt veelvuldig gebruikt in gebeden en bij formele gelegenheden zoals huwelijken en begrafenissen; en soera's 113 en 114 worden soms als talisman gehanteerd.

Hierboven hadden we het al over de centrale plaats die de recitatie in de religieuze beleving van moslims inneemt. Een vast bestanddeel van de ramadan, de islamitische vastenmaand, is het reciteren van de Koran in zijn geheel. Maar ook op andere tijden worden stukken gereciteerd, bijvoorbeeld tijdens religieuze televisieprogramma's; ook circuleren er talloze cassettebandjes en cd's met recitaties. Reciteren is een kunst apart; wie op deze langzame en deels muzikale manier de ritmische Korantaal vol beelden en in intensiteit toenemende herhalingen tot zich neemt, ervaart de inhoud ervan op een veel dramatischer manier dan wie hem in stilte leest.

Een ander aspect van de alledaagse ervaring van de Koran is even simpel als verstrekkend: de overgrote meerderheid van de gelovige moslims snapt er letterlijk geen woord van. De Koran is gesteld in een vorm van preklassiek Arabisch. Die taal staat ver af van welke hedendaagse vorm van gesproken Arabisch ook en kost dus veel tijd en moeite om te leren. (Bedenk ook dat de meeste moslims geen Arabieren zijn.) In traditionele Koranscholen begint het onderwijs met het uit het hoofd leren van een aantal kortere soera's, aanvankelijk zonder enige vertaling of uitleg. De slimste studenten leren de hele Koran uit het hoofd; in de islamitische wereld geniet de *hafiz*, iemand die de hele Koran kan reciteren, een bijzonder respect. De meeste moslims ervaren de Koran dus in de eerste plaats in termen van gesproken of voorgedragen klanken. Een andere vorm waarin de Koran wordt gebruikt is het kalligram, waarin een vers of frase uit de Koran in een kalligrafisch beeld wordt gerepresenteerd. Hoewel gesproken kan worden van een zekere verdringing van het handgeschreven woord door getypte en gedrukte tekst, is de kalligrafische kunst in grote delen van de islamitische wereld nog altijd populair, vooral in de vorm van Koranfragmenten. Ter afwering van kwaadwillende *djinns* (geesten) of wereldlijk ongeluk zijn er ook talloze miniatuur-Korans in omloop, die te klein zijn om echt te kunnen lezen en meer als amulet fungeren.

Er zijn nog andere, wellicht wat minder verheven gebruikswijzen van de Koran. Een daarvan is om, wanneer je met een probleem zit, de Koran op een willekeurige plaats te openen en blindelings een vers aan te wijzen; dat wordt vervolgens zó geïnterpreteerd dat het de oplossing voor het probleem biedt. Een andere folkloristische gebruikswijze is om in geval van ziekte of hoofd- of kiespijn een Koranvers op een stukje papier te laten schrijven en dat tot een amulet te vouwen, dat de patiënt bij het slapengaan onder zijn of haar hoofdkussen dient te leggen. Gelijksoortig is het ritueel waarbij bepaalde Koranverzen op papier worden geschreven, waarna ze worden opgelost in water dat vervolgens wordt opgedronken.

Van een totaal andere orde is de manier waarop veel hedendaagse hoger opgeleide moslims met de Koran omgaan. Steeds meer lezen belijdende moslims, alleen of in groepjes en met name ook buiten de islamitische wereld, de Koran in vertaling en met behulp van commentaren of duidingen die ze in handzame (vaak Engelstalige) boekjes of op het internet zoeken, en niet in de klassieke *tafsir*- of exegeseliteratuur. Dorpsimams, gevestigde schriftgeleerden en zelfs de meer elitaire hervormers die hechten aan een grondige studie van de klassieke exegetische traditie zien zulke ontwikkelingen met lede ogen aan; maar ze zijn niet tegen te houden.

2 Openbaringen in Mekka

Context

Denkend aan Arabië ziet men onafzienbare woestijnvlaktes, doorsneden door drooggevallen rivierbeddingen, waarlangs kameelkaravanen zich in slakkengang van oase tot oase bewegen. Dat beeld is grosso modo correct. Het Arabisch schiereiland biedt maar weinig mogelijkheden tot intensieve landbouw en heeft daarom tot aan de moderne tijd weinig grote stedelijke nederzettingen gekend. Een uitzondering hierop is het zuidwestelijk gelegen Jemen, het oude Arabia Felix, waar al sinds het tweede millennium voor Christus sprake is geweest van een hoogstaande beschaving gebaseerd op uitvoerige irrigatiewerken. Aan het eind van de zesde eeuw was Jemen echter in verval; zijn functie van handelscentrum werd meer en meer overgenomen door het plaatsje Mekka, gelegen in het centraal-westelijke deel van het schiereiland, de Hidjaz.

De overlevering vertelt ons dat Mohammed rond het jaar 570 in Mekka is geboren. Zijn samenleving had een tribale structuur en had geen overkoepelend staatsgezag. De sociale organisatie werd gekenmerkt door een trapsgewijze loyaliteit: binnen een familie gehoorzaamde men de familieoudste, de familieoudste was loyaal aan de clanleider, de clanleiders verzamelden zich onder het gezag van een stamhoofd. Het tribalisme van de Arabieren had alles te maken met de schaarste van middelen van bestaan op het schiereiland: er was onvoldoende surplus om een grote bestuurslaag aan de top te kunnen onderhouden. Extensieve landbouw was alleen mogelijk in oases, waar men soms klein vee kon laten grazen of dadelpalmen liet groeien. Naast de mensen die een sedentair leven leidden, waren er ook de nomaden, die op kamelen door de woestijn trokken en leefden van kleinschalige ruilhandel, roof en protectie. Zij boden de oasebewoners bescherming, tegen betaling van goederen (zoals dadels) die ze in marktplaatsen weer konden verkopen. Het was een hard bestaan voor zowel de sedentaire als de nomadische bevolking, maar de verwantschapsbanden van familie, clan en stam zorgden voor onderlinge saamhorigheid en een hoge mate van sociaaleconomische gelijkheid. De vroege Arabische samenleving op het schiereiland was dus relatief egalitair; er bestonden ook geen erfelijke vorstenhuizen. In de zesde eeuw echter nam de economische – en daarmee de maatschappelijke – ongelijkheid snel toe: na de val van het koninkrijk in Jemen maakten sommige handelaren in het nieuwe centrum Mekka al spoedig fortuin.

Van de geloofsvoorstellingen van de Arabieren in de pre-islamitische periode kennen we alleen de grote contouren. Enerzijds was er het geloof dat er meerdere goden waren aan wie men kon offeren, afhankelijk van wat men nodig had. *Hadiths* of overleveringen spreken van afgodsbeelden rond het centrale heiligdom in Mekka, de Kaäba. De offers die aan deze goden werden gebracht, waren gericht op het verkrijgen van assistentie of goede raad in wereldse zaken. Geloof in een hiernamaals was er niet bij. Men geloofde niet aan leven na de dood in een hemel of een hel. Wel leefde men voort in de herinnering van de stam. Door nobele daden te verrichten en dapperheid tentoon te spreiden kon een stamlid een roemrijke naam verwerven die tot lang na zijn dood besproken en bezongen werd in verhalen en gedichten. Anderzijds waren er ook monotheïstische Arabieren, vooral joden en christenen; maar ook bestond er een 'autochtoon monotheïsme'. Deze laatste categorie bestond uit mensen die in de bronnen *hanifs* worden genoemd, ofwel individuele godzoekers die uitgingen van het geloof in één god, maar die zich niet aansloten bij de joodse of christelijke doctrine. Zij plachten zich regelmatig terug te trekken om te mediteren in het woestijngebergte.

Een oplezing

Mohammeds leven begint niet goed. Hij wordt al op jonge leeftijd wees, waarna zijn grootvader Abd al-Muttalib de zorg voor hem op zich neemt. Abd al-Muttalib is op dat moment de leider van de verarmde clan Hashim uit de stam Quraysh, waarin Mohammed werd geboren. Diens leven neemt een dramatische wending als hij een volwassen man is en getrouwd met de succesvolle zakenvrouw Khadidja, voor wie hij handelskaravanen organiseert. Zonder het woord te gebruiken schetst de overlevering het beeld van Mohammed als een hanif: Mohammed is zoekende, en zoekt daartoe zijn toevlucht tot meditatie in de natuur. Volgens de meest gangbare versie van het verhaal is het tijdens zo'n retraite in een grot buiten Mekka dat Mohammed een stem hoort zeggen:

> Lees op in de naam van jouw Heer, die heeft geschapen, geschapen heeft Hij de mens uit een bloedklonter. Lees voor! Jouw Heer is de edelmoedigste, die onderwezen heeft met de pen. Hij heeft de mens onderwezen wat hij niet wist. Welnee, de mens is onbeschaamd dat hij zich behoefteloos waant. Maar tot zijn Heer is de terugkeer. (96:1-8)

Daarmee begint het openbaringsproces van wat we nu kennen als de Koran. Deze eerste verzen maken alvast één ding duidelijk, namelijk dat er een Schepper-God bestaat, dat Hij de mens leiding biedt en dat de mens ten slotte van Hem afhankelijk is. Het bestaan van een leven na de dood en de verwijzing naar een toekomstige 'afrekening' van God met alle mensen staan centraal in deze vroegste verzen. De verzen die in deze eerste fase tot Mohammed komen, hebben dan ook een moralistisch, waarschuwend karakter: men dient zich goed te gedragen, want de bestraffing in het hiernamaals is verschrikkelijk. Daarentegen is voor de godvrezenden de hemel weggelegd.

Maatschappijkritiek en tegenstand

Er kwam al spoedig oppositie tegen Mohammeds boodschap. Uit de bronnen krijgen we de indruk dat Mohammeds optreden door de Mekkaanse elite niet alleen werd gezien als kritiek op hun heidense geloofsovertuiging, maar ook op hun levenswandel. Naarmate Mekka na het verval van Jemen meer en meer de handelsroutes over het schiereiland onder controle had gekregen, was een lokale bovenklasse van langeafstandshandelaren ontstaan, die rijkdommen vergaarde die voor de tribale samenleving ongekend waren. Dat zette zowel het traditionele systeem van de tribale solidariteit onder druk, als de wijze waarop gedacht werd over het bovenaardse. Voor wie het op deze wereld lukt om door eigen ondernemingszin materiële rijkdom te verzamelen en maatschappelijk aanzien te genieten, is het moeilijk om te accepteren dat uiteindelijk alle verworvenheden opgaan in het collectief van de stam. De oude stamidealen stonden onder druk; maar dat wil niet zeggen dat Mekka als een blok viel voor Mohammeds boodschap. Sterker nog, Mohammed werd volgens de overlevering actief tegengewerkt en zijn volgelingen werd het vaak nog lastiger gemaakt, tot mishandeling aan toe. De 109de soera kan wel worden gezien als een poging om de kou uit de lucht te halen:

> Zeg: 'O ongelovigen! Ik zal niet dienen wat jullie dienen. En jullie dienen niet wat ik dien. En ik dien niet wat jullie dienen. En jullie dienen niet wat ik dien. Jullie hebben jullie godsdienst en ik heb mijn godsdienst.' (109)

In latere tijden is dit vers wel aangehaald als bewijs dat de islam religieuze tolerantie predikt. Mogelijk moeten we dit inderdaad opvatten als een oproep tot tolerantie: ieder zijn meug, *jedem das Seine*. Hoe dan ook, dit nam de twijfels bij de Mekkanen niet weg en Mohammed werd onder druk gezet om zijn verhaal aan te passen. Als er naast de ene grote God nu ook plaats zou zijn voor de regionaal aanbeden godinnen al-Lat, al-Uzza en Manat, die in de buurt van Mekka hun centrale heiligdommen hadden, dan zou de toekomst van Mekka als bedevaartplaats niet in gevaar komen. Het is onder deze omstandigheid dat de roemruchte duivelsverzen hun intrede doen:

> Hoe zien jullie dan al-Lat en al-Uzza en Manat, de derde, de andere? Dat zijn de verheven zwanen, zeker wordt op hun voorspraak gehoopt. (Zie onder 'Verder lezen': Watt, p. 54)

Hiermee werden de drie Mekkaanse godinnen erkend als mederechthebbenden op menselijke aanbidding en offerandes. De overlevering vertelt dat het een inblazing van de duivel was die Mohammed dit deed zeggen. De duivelsverzen zijn niet opgenomen in de Koran. De islamitische traditie leert ons dat God Mohammed een correctie op de duivelse boodschap stuurde, waarin de verwerping van de tribale afgoden onmiskenbaar is:

> Hoe zien jullie dan al-Lat en al-Uzza en Manat, de derde, de andere? Zouden jullie dan de mannelijke [kinderen] hebben en Hij de vrouwelijke? Dat zou een onrechtvaardige verdeling zijn. Het zijn slechts namen die jullie en jullie vaderen gegeven hebben en waarvoor God geen enkele machtiging had verleend. (53:19-25)

Na de correctie van de duivelsverzen is er geen weg meer terug in het conflict tussen Mohammed en de polytheïstische Mekkaanse elite. Mohammed geniet nog altijd bescherming van zijn clan, maar het is een wankel evenwicht. Soera 111 leest als een vloek over Mohammeds Mekkaanse opponent Abu Lahab, waarbij ook diens vrouw ervanlangs krijgt:

> De handen van Abu Lahab mogen kapotgaan en hij mag zelf kapotgaan. Zijn bezit en wat hij verworven heeft baat hem niet. Hij zal braden in een vuur vol vlammen. En ook zijn vrouw, die het hout aandraagt [met] om haar nek een vezelkoord. (111)

Die laatste zin zou kunnen verwijzen naar het toekomstbeeld dat de soera schetst: Abu Lahab zal branden in de hel, waarbij het de taak van zijn vrouw zal zijn om het brandhout voor de hel aan te dragen. Een andere interpretatie is dat de zinsnede 'zijn vrouw, die het hout aandraagt', verwijst naar de pesterij van Abu Lahabs vrouw die onder begeleiding van spotternij en gescheld doorntakken voor Mohammeds voeten placht te werpen. Hoe dan ook, hier getuigt de Koran van de weerstand die Mohammed in Mekka ondervond, waarbij het interessant is om stil te staan bij de zin 'zijn bezit en wat hij verworven heeft baat hem niet'. Ook in andere verzen spreekt de Koran van de betrekkelijkheid van aardse rijkdommen en de plicht om aan de behoeften van minderbedeelden tegemoet te komen. Sommigen hebben hierin een reactie gelezen op de arrogantie van de nieuwe rijken in Mekka.

De boodschap van Mohammed mocht dan gesteld zijn in uitzonderlijke bewoordingen, de achterliggende ideeën waren niet onbekend. Al leefden er in Mekka waarschijnlijk geen joden of christenen, toch waren Mekkanen bekend met geloofsvoorstellingen en verschillende (rivaliserende) heilsgeschiedenissen van joodse en christelijke herkomst. De Koran verwijst veelvuldig en terloops naar Bijbelse figuren en hun lotgevallen, hetgeen erop duidt dat Mohammeds publiek tot op zekere hoogte bekend was met deze verhalen. Dat hoeft niet te verbazen, aangezien er aanzienlijke aantallen christelijke Arabieren waren op, en meer nog aan de noordelijke marge van, het Arabisch schiereiland. Met deze stammen bestond intensief contact, zeker sinds de tijd dat vanuit Mekka handelskaravanen op pad werden gestuurd naar het Byzantijnse rijk en het Perzische rijk. De Mekkanen waren dan ook goed op de hoogte van de rivaliteit tussen de Byzantijnen en de Perzen en hadden eveneens weet van de religieuze dimensie van die rivaliteit: enerzijds de monotheïstische, christelijke Byzantijnen en anderzijds de dualistische, mazdeïstische Perzen. Als dan in het jaar 614 de Perzen Jeruzalem veroveren en het Heilige Kruis uit Jeruzalem wegvoeren, ziet het er vanuit het Arabische schiereiland niet best uit voor de monotheïsten in de wereld. Een Koranvers biedt Mohammed verbale munitie tegen de Mekkaanse spotternij: 'De Byzantijnen zijn overwonnen in het dichtstbijzijnde land, maar na hun nederlaag zullen zij overwinnen, over enkele jaren. God komt de beslissing toe, vroeger en later.' (30:2-4). Op zichzelf kan deze passage natuurlijk op allerlei verschillende Byzantijnse nederlagen slaan, maar de islamitische overlevering plaatst hem in het kader van de bovengenoemde Perzische inname van Jeruzalem. Volgens deze interpretatie verwijst het voorspellende deel van de passage ('zij zullen overwinnen over enkele jaren') naar de latere herovering van Jeruzalem door de Byzantijnse keizer Heraclius in 622.

Uiteindelijk wordt de situatie in Mekka onhoudbaar voor Mohammed en zijn volgelingen. De naburige plaats Yathrib, het tegenwoordige Medina, biedt uitkomst. Mohammed vestigt zich met zijn groep in deze stad. Deze vlucht of migratie (*hidjra*) zal niet alleen later gaan gelden als het begin van de islamitische jaartelling; ze zal in later tijden ook een spirituele betekenis krijgen van tijdelijke terugtrekking uit een onvolmaakte en zelfs vijandige omgeving. Medina is ten tijde van Mohammeds aankomst verscheurd door stammentwisten en het is Mohammed die als een bemiddelaar verschillende partijen met elkaar weet te verzoenen. In die hoedanigheid is hij niet alleen een religieus leidsman maar ook een politiek leider.

3 Openbaringen in Medina

Mohammed en de joden

In tegenstelling tot Mekka werd Medina niet voornamelijk door heidense Arabieren bewoond. De bronnen spreken van drie joodse stammen en twee 'Arabische' stammen te Medina. De term 'Arabisch' moet hier tussen aanhalingstekens worden geplaatst, omdat het goed mogelijk is dat de joodse stammen in feite niet minder Arabisch waren. Het heeft er alle schijn van dat de joodse stammen buiten hun geloofsovertuiging niet van andere stammen te onderscheiden waren en mogelijk zelfs vrij recent tot het jodendom bekeerd waren. Op het eerste gezicht kan het makkelijker lijken om joden tot de islam te brengen dan heidenen, aangezien joden al geloven in het basisgegeven van één enkelvoudige God. Talrijke vroeg-Medinensische Koranverzen lezen als uitnodigingen aan de joden om Mohammed te gaan volgen:

> O Israëlieten, denkt aan Mijn genade die Ik jullie geschonken heb en komt het verbond met Mij na, dan zal Ik het verbond met jullie nakomen; voor Mij moeten jullie dus beducht zijn. En gelooft in wat Ik heb neergezonden ter bevestiging van wat jullie al hebben [nl. de Thora], weest niet de eersten die er niet in geloven en verkwanselt Mijn tekenen niet... (2:40-41)

In vele passages wordt aan de joden gerefereerd met de term 'mensen van het boek' (dat wil zeggen mensen die een goddelijke openbaring hebben ontvangen, in dit geval de Thora), een term die overigens ook voor christenen wordt gehanteerd. Hier en elders wordt Mohammeds openbaring expliciet gekarakteriseerd als een bevestiging van de eerdere openbaringen van joodse en christelijke profeten. Nog toeschietelijker zijn de identieke verzen 2:47 en 2:122, waarin welhaast de doctrine van de joodse uitverkorenheid wordt gesanctioneerd: 'O Israëlieten, denkt aan Mijn genade die Ik jullie geschonken heb en daaraan dat Ik jullie boven de wereldbewoners heb verkozen.' Het mocht niet erg baten. Hoewel sommige joden zich bekeerden, namen de joodse stammen als geheel een onverzettelijke houding aan. Naarmate de hoop op joodse bijval vervloog, veranderde er ook het een en ander in de godsdienstige praktijk van de jonge moslimse gemeenschap. In plaats van tegelijk met de joden te vasten op de dag van Ashura ('Grote Verzoendag' of Jom Kipoer) vasten de moslims voortaan gedurende de hele maand ramadan (overigens een aanzienlijk zwaardere opgave!). Ook wordt er niet langer gebeden in de richting van Jeruzalem, maar in de richting van Mekka. Volgens de Koran is dit het resultaat van Gods besef dat Mohammed ongelukkig was met Jeruzalem als gebedsrichting:

> Wij zien wel dat jouw gezicht de hemel rond zoekt. Dus zullen Wij je tot een gebedsrichting wenden die je bevalt. Wend dus je aangezicht in de richting van de heilige moskee [te Mekka]. Waar jullie ook zijn, wendt jullie aangezicht in die richting. (2:144)

Veldslagen

Rond de tijd van wat doorgaans de 'breuk met de joden' wordt genoemd, begonnen ook de overvallen door moslims op karavanen uit het vijandige Mekka. Mohammed en zijn schare gelovigen uit Mekka waren in Medina afhankelijk van de welwillendheid van hun medestanders onder de lokale bevolking. Om toch enigszins in hun eigen levensonderhoud te voorzien gingen zij op rooftocht, waarbij vooral Mekkaanse handelsexpedities het doel waren. In het jaar 624 viel het geluk toe aan de jonge moslimgemeenschap. Bij Badr vond een veldslag plaats waar naar verluidt de moslims een miraculeuze overwinning behaalden op een Mekkaanse overmacht. Een grote buit viel in handen van Mohammed en de zijnen, wat zijn macht en aanzien in Medina aanzienlijk vergrootte. De overwinning werd voorgesteld als het resultaat van direct goddelijk ingrijpen, in de vorm van een engelenschare die met de moslims meevocht. Hier lijkt de Koran naar te verwijzen wanneer we lezen:

> Toen jullie je Heer om hulp vroegen en Hij jullie verhoorde: 'Ik versterk jullie met duizend engelen die achter elkaar aan komen.' En God heeft het alleen maar gedaan om het goed nieuws te laten zijn en opdat jullie harten erdoor gerustgesteld zouden worden – de overwinning komt alleen maar van God. (8:9-10)

De groeiende macht van Mohammed blijkt ook uit het gegeven dat Mohammed kans zag de kleine joodse stam Qaynuqa uit Medina te verdrijven, waarbij hun bezittingen aan Mohammed en zijn Mekkaanse migranten toevielen.

Iets meer dan een jaar later zou opnieuw een groot gevecht plaatsvinden, ditmaal bij Uhud; maar nu lukte het de moslims niet een doorbaak te forceren. Sterker nog, sommige moslims vluchtten weg van de strijd. De Koranverzen die hiermee in verband worden gebracht spreken van een test: 'Wat jullie trof op de dag dat beide troepenmachten tot een treffen kwamen was met Gods toestemming en opdat Hij de gelovigen zou kennen en opdat Hij de huichelaars zou kennen' (3:166-7). Die 'huichelaars' vormen een belangrijke groep in Medina en in de Koran. Met de huichelaars wordt gedoeld op de mensen in Medina die wel met Mohammed en de moslims meepraatten, maar die vanbinnen niet overtuigd waren of zelfs plannen beraamden tegen de moslims. De term 'huichelaar' is tot op heden een beladen term in islamitische kring en betekent zoiets als 'verrader van de islam'. De joodse stam Nadir wordt in de bronnen geplaatst in het kamp van de huichelaars. In reactie op de tweede, niet gewonnen slag bij Uhud zouden de Nadir een list hebben bedacht om Mohammed te doden. Daarop worden de Nadir uit Medina verdreven. De Koran zinspeelt hierop in de soera van De Verzameling: 'Wat er in de hemelen is en wat er op de aarde is prijst God en Hij is de machtige, de wijze. Hij is het die de ongelovigen van de mensen van het boek bij de eerste verzameling uit hun woningen heeft verdreven' (59:1-2).

Uiteraard bleef een nieuwe confrontatie tussen Mekka en Medina niet uit. In 627 zette een groot Mekkaans leger zich in beweging en Medina zou zeker onder de voet zijn gelopen als niet iemand op het idee was gekomen om simpele maar effectieve defensiewerken aan te leggen, bestaande uit een diepe greppel die het de Mekkanen zou beletten om Medina in de volle breedte aan te vallen. De Mekkaanse aanval liep op niets uit en daarmee werd Mohammed de onbetwiste machthebber van Medina. Er was echter nog één groepering die weliswaar zijn politieke leiding accepteerde, maar die zijn positie als boodschapper Gods bleef ontkennen. Dat was de Qurayza, de laatst overgebleven joodse stam te Medina; deze werd nu beschuldigd van verraad. De bronnen vertellen ons dat de mannen werden gedood, terwijl de vrouwen en kinderen in slavernij werden verkocht. In 33:26-27 kunnen we het lot van de Qurayza teruglezen, hoewel de joodse stam niet bij name genoemd wordt. Voor dit hele verhaal zijn we aangewezen op de islamitische overleveringsliteratuur: joodse bronnen zeggen er niets over.

Na de mislukte aanval van 627 was Mekka ernstig verzwakt. Mohammed had talrijke stammen in het westen van het schiereiland aan zich weten te binden, hetgeen het voor de Mekkaanse elite steeds moeilijker maakte om de handelskaravanen met enige kans op succes op pad te sturen. Uiteindelijk geven de Mekkanen hun verzet tegen Mohammed op en in 630 wordt Mekka ingelijfd bij de *dar al-islam*, het 'huis van de islam'.

De verzen die in Medina zijn neergedaald zijn over het algemeen zakelijker en praktischer van toon dan de Mekkaanse openbaringen. Meer dan voorheen hebben sommige nu het karakter van voorschriften, geboden of verboden – kortom, van wetten. In Mekka trof Mohammed een onwillig publiek dat niets van hem te vrezen had. Als mensen maar tot enige reflectie op hun levenswandel te bewegen waren, zou dat al heel wat geweest zijn. De Mekkaanse verzen zijn vaak extatisch van toon, mysterieus en bevreemdend. In Medina echter groeit Mohammeds positie uit tot die van staatsman; nu kan hij niet langer volstaan met openbaringen die op het eerste gezicht niet meer zijn dan nauwelijks te bevatten, laat staan praktisch bruikbare aankondigingen en voorspellingen over 'de dag (...) dat de bergen zullen zijn als wolvlokken die worden gekaard' (101:4-5). In Medina dalen verzen neer waarmee men in meer praktische zin iets kan. In de strijd komen bijvoorbeeld krijgers te sneuvelen en er wordt buit vergaard. Het is de taak van Mohammed om de bezittingen eerlijk te verdelen. Op de vraag hoe dat dient te geschieden geeft de Koran nu antwoord. Dat leidt vanzelf tot veel prozaïscher formuleringen dan welke we in de Mekkaanse verzen tegenkomen, zoals hier blijkt uit een vers over erfverdeling:

God draagt jullie met betrekking tot jullie kinderen op: voor een mannelijk [kind] evenveel als het aandeel van twee vrouwelijke. Als er echter alleen vrouwen zijn en wel meer dan twee, dan is twee derde van wat hij nalaat voor haar. Maar als er maar één is, dan is de helft voor haar. Voor de beide ouders: elk van beiden een zesde van wat hij nalaat, als hij kinderen heeft. Als hij geen kinderen heeft en zijn ouders erven van hem dan is een derde voor zijn moeder, maar als hij broers heeft dan is een zesde voor zijn moeder. [Dit geldt] na[dat rekening gehouden is met] een [testamentaire] beschikking die hij heeft gemaakt of een schuld... (4:11)

De Koran wordt een boek

Wanneer Mohammed in 632 sterft, begint de periode van bijna dertig jaar waarin de vier zogenaamde 'rechtgeleide kaliefen' de jonge moslimstaat bestendigen en uitbreiden tot een waar wereldrijk, dat zich uitstrekt tot diep in Noord-Afrika en tot voorbij Mesopotamië. Zowel orthodoxe moslims als academische geleerden gaan er in meerderheid van uit dat ergens in deze periode van 'rechtschapen leiderschap' de Koran voor het eerst op schrift is gesteld, en dat hij in de toen ontstane vorm ook de huidige lezer ter beschikking staat. De vraag is wie er verantwoordelijk is geweest voor de verzameling van de Koran en op grond van welke criteria deze verzameling plaats heeft gevonden. Daar zijn de bronnen niet eenduidig over.

Wat op veel plaatsen in de literatuur terugkomt, is het idee van een aanvankelijk alleen mondeling overgeleverde en dus in geheugens bestaande Koran. Openbaringen werden opgevangen door wie maar in het gehoorveld van Mohammed was op het moment dat hij de openbaring wereldkundig maakte, en wie de openbaring hoorde vertelde deze uiteraard door aan anderen. We moeten ons voorstellen dat de moslimgemeenschap na verloop van tijd wel wist wie er zoal een scherp geheugen had en wie niet. Het was echter Mohammed die als enige de gehele openbaring in zich droeg. Na zijn dood was het een kwestie van tijd voordat moslims de behoefte gingen voelen de Koran neer te schrijven, zodat niets ervan verloren zou gaan. Sommige overleveringen vertellen dat het de eerste kalief was, Abu Bakr, die de Koran op papier liet zetten. Andere overleveringen beweren dat de derde kalief Uthman hiertoe het initiatief nam. Het heeft er alle schijn van dat deze tegenstrijdigheid in de bronnen het gevolg is geweest van strijd over de vraag wie er met de eer mocht strijken de Koran te hebben bijeengebracht in de definitieve versie. Een gangbare reconstructie van de verzamelinggeschiedenis die de twee verhalen met elkaar verzoent, gaat ervan uit dat Abu Bakr een eerste verzameling maakte, die later in opdracht van Uthman nog eens is gecorrigeerd en aangevuld.

Een ander strijdpunt dat door de overleveringen echoot is de vraag hoe betrouwbaar Uthmans Koranverzameling is. Uthman was in zijn tijd namelijk niet de enige die meende te beschikken over de enige echte Koran. Naast de tekst van Uthman circuleerden er in Kufa, Basra en elders andere versies van de Koran. De meest bekende van de rivaliserende versies was die van Ibn Mas'ud in Kufa. Ibn Mas'ud was een van de eersten die zich tot de islam bekeerden en maakte zich aanvankelijk nuttig als persoonlijk dienaar van Mohammed. Nog tijdens het leven van Mohammed kwam hij bekend te staan als een groot kenner van de Koran. Onder het bewind van kalief Uthman was Ibn Mas'ud een gevierd leider te Kufa. Zijn lezingen en interpretaties van de Koran hadden groot gezag. Toen de Koran van Uthman werd voorgeschreven met de bijkomende opdracht dat alle andere versies moesten worden vernietigd, weigerde Ibn Mas'ud daaraan gehoor te geven. Uiteindelijk zijn Ibn Mas'ud en zijn Koranversie niettemin ten onder gegaan. We beschikken slechts over indirecte kennis van hoe zijn Koran afweek van de Koran zoals die van Uthman tot ons is gekomen.

Voor zover we kunnen nagaan waren er geen dramatische verschillen tussen de rivaliserende Koranversies. Wel neigde Ibn Mas'uds Korantekst over het algemeen meer naar wat we een sjiitische stellingname zouden kunnen noemen. (Na de dood van Mohammed werd weliswaar Abu Bakr kalief, maar sommige moslims waren van mening dat Mohammeds neef en schoonzoon Ali het stokje had moeten overnemen. Uit deze onvrede zou in de navolgende eeuwen een beweging ontstaan die we nu kennen als de sjiitische islam.) Een voorbeeld van hoe de sjiitische held Ali in Ibn Mas'uds lezing wordt geëerd is 75:17, waar Uthman leest: 'Het is aan ons [de Koran] te verzamelen en te doen reciteren', maar waar Ibn Mas'ud placht te lezen: 'Onze Ali verzamelde [de Koran] en zorgde voor de recitatie ervan.' In het Nederlands lijkt dit een groot verschil, maar in het Arabisch zien beide zinnen er op schrift hetzelfde uit (afgezien van de vocaaltekens). Het enige verschil zit hem in hoe één woord wordt uitgesproken: *alayna*, 'aan ons', of *aliyana*, 'onze Ali'.

Een belangwekkender verschil is gelegen in bepaalde teksten die in de Koran van Uthman zijn opgenomen als soera's, maar die door Ibn Mas'ud buiten de Koran zijn gehouden. Het gaat hier om de eerste soera en de laatste twee soera's. (Voor wat deze soera's zo bijzonder maakt, zie hoofdstuk 9 van dit boek.) Andere verschillen tussen de Korans betreffen vooral het gebruik van andere woorden die echter qua betekenis niet ver van elkaar afstaan, hoewel de variant op 3:19 wel interessant is. Waar we namelijk in de canonieke Koran (dus die van Uthman) lezen: 'de godsdienst bij God is de islam', daar lezen we bij Ibn Mas'ud: 'de godsdienst bij God is het pad der hanifs'. Het is vooralsnog niet mogelijk te reconstrueren wat nu de oorzaak van deze en dergelijke verschillen is geweest. Kritisch teksthistorisch onderzoek is echter niet onmogelijk, zoals hoofdstuk 10 zal laten zien.

4 De Bijbel in de Koran

Van een heilig boek dat claimt voorgaande heilige boeken te bevestigen, te vervangen of zelfs te corrigeren, kan verwacht worden dat het meerdere begrippen, doctrines en verhalen gemeen heeft met die eerdere heilige boeken. Dat is het geval met de Koran, die door moslims wordt beschouwd als een vervolg op, en zelfs afronding van, de openbaring waarvan ook het Oude en het Nieuwe Testament deel uitmaken. De overeenkomsten zijn inderdaad niet mis. Over theologische kernpunten zoals het geloof in slechts één God, Zijn schepping, de plicht van de mens om zijn Schepper te dienen, het geloof in een hiernamaals en een dag des oordeels zijn de Testamenten en de Koran het grotendeels eens. Naast deze overeenstemmende heilsprincipes zien we eveneens een verhaaltechnische overlap in hoe dezelfde personages op dezelfde wijze worden ingedeeld in goeierds (Abraham, Jozef, Mozes, Jezus et cetera) en slechteriken (Satan, Farao, Goliath et cetera). Al deze eenstemmigheid ten spijt blijven er natuurlijk fundamentele verschillen tussen jodendom, christendom en islam. Zo mogen Jozef en Jezus bijvoorbeeld in zowel Bijbel als Koran een prominente plaats innemen, maar dat wil nog niet zeggen dat ze dezelfde functie vervullen in de respectieve heilsgeschiedenissen. In dit hoofdstuk zullen we daarom bij wijze van casestudy kijken naar hoe de verhalen van Jozef en Jezus op verschillende wijzen worden verteld in enerzijds de Bijbel en anderzijds de Koran. Algemenere en abstractere theologische vragen komen in hoofdstuk 5 aan de orde.

Jozef

De oudtestamentische Jozef (zie Genesis 37 en verder) is een cruciaal personage in de heilsgeschiedenis van het jodendom. Kort samengevat: de Hebreeuwse Jakob heeft twaalf zonen, onder wie Jozef; die wekt de afgunst op van zijn broers door openlijk te praten over zijn geprivilegieerde status als vaders lieveling. De broers verzinnen dan een list om van Jozef af te komen: zij verkopen hem als slaaf aan handelaren die op weg zijn naar Egypte. In Egypte wordt Jozef gekocht en tewerkgesteld in het huishouden van Potifar, die aan het hof van de farao werkt. Jozef is echter 'schoon van gestalte en schoon van uiterlijk' en Potifars vrouw wenst dat hij bij haar zou aanliggen. Hij vlucht weg van haar avances, maar zij grijpt hem bij zijn kleed dat van zijn lichaam scheurt. Uit wrok beschuldigt zij vervolgens Jozef ervan haar te hebben aangerand zodat die in de gevangenis belandt. Jaren later heeft de farao een mysterieuze droom die niemand kan verklaren, totdat iemand erop wijst dat er een Hebreeër in de gevangenis zit die erg goed is in droomuitleg. Deze Hebreeër, Jozef, wordt voor de farao gebracht, verklaart zijn droom en wint aldus diens vertrouwen. Jozef wordt zo de op één na machtigste man van Egypte en in die hoedanigheid zal hij vervolgens zijn stam redden: als zijn broers naar Egypte komen om de hongersnood te Kanaän te ontvluchtten, vergeeft Jozef hen en nodigt hij zijn mensen uit naar Egypte te komen. Kortom, Jozef is degene die het Hebreeuwse volk naar Egypte haalt en hen zo van de hongerdood redt. Daarmee is Jozef in het Oude Testament een belangrijke schakel in het overkoepelende thema van het Oude Testament: de joodse overlevingsgeschiedenis.

In de Koran is Jozef (Yusuf) van minder belang voor de heilsgeschiedenis. Wel is hij een uitzonderlijk personage, omdat er een hele soera naar hem genoemd is, die bovendien volledig aan hem is gewijd. De Jozefsoera is uniek omdat het de enige soera van aanzienlijke lengte is die een echt 'verhaal' vertelt. Dat komt grotendeels overeen met het verhaal van de Bijbelse Jozef (al wordt Potifar niet bij naam genoemd). Jaloerse broers doen Jozef in Egypte belanden, waar de vrouw des huizes 'vervuld was van liefde voor hem', maar waar Jozef door God geleid zijn kuisheid wist te bewaren. Vanaf dit punt wordt het verhaal spannender dan in de Bijbel het geval is. Jozef rent weg en Zulaykha (de naam die de traditie aan Potifars vrouw heeft gegeven) rent achter hem aan in de richting van de uitgang en zij scheurt daarbij zijn hemd. Zo komen ze bij de uitgang waar ze Potifar tegen het lijf lopen. Zulaykha kiest meteen voor het offensief en zegt: 'De vergelding voor iemand die jouw familie kwaad wil doen is toch dat hij gevangengezet wordt of anders een pijnlijke bestraffing?' (12:25). Jozef verdedigt zich en zegt: 'Zij probeerde mij te verleiden.' (12:26). Hij wordt geholpen doordat iemand Potifar adviseert het hemd van Jozef te inspecteren: 'Als zijn hemd van voren gescheurd is, dan is zij oprecht en behoort hij tot de leugenaars. Maar als zijn hemd van achteren gescheurd is, dan liegt zij en behoort hij tot de oprechten.' (12:26-27). Zo blijft Jozefs naam onbezoedeld. Vervolgens belandt Jozef echter toch in de gevangenis, zodat de rest van het verhaal verteld kan worden. De reden waarom Jozef gevangen wordt gezet terwijl zijn onschuld toch was aangetoond, blijft duister; zijn opsluiting zou echter te maken kunnen hebben met iets waar Bijbel en Koran het over eens zijn: zijn schoonheid. De Koran weidt hier verder over uit. Al snel begonnen de vrouwen van Egypte schande te spreken van Zulaykha's vrijpostige optreden. Zulaykha echter was ervan overtuigd dat haar gedrag niet uit haar zwakte was voortgekomen, maar uit Jozefs schoonheid. Aldus verzon ze een list om de vrouwen de mond te snoeren. De Koran vertelt het bondig en helder: 'En de vrouwen in de stad zeiden: "De vrouw van de excellentie probeert haar slaaf te verleiden. Zij is verliefd op hem geworden. Wij zien dat zij in duidelijke dwaling verkeert." Maar toen zij van hun geroddel hoorde ontbood zij hen en maakte voor hen een buffet klaar en zij gaf ieder van hen een mes. Toen zei zij [tot Jozef]: "Kom voor hen tevoorschijn." En toen zij hem zagen vonden zij hem geweldig. Zij sneden zich [van opwinding] in hun handen en zeiden: "God beware! Dit is geen mens, dit is niets anders dan een voortreffelijke engel."' (12:30-31). Deze passage suggereert dat van de vrouwen van Egypte eigenlijk niet verwacht kon worden dat ze zich tegenover Jozef zouden weten te beheersen. De Koran lijkt hier te impliceren dat Jozef gevangengezet werd als maatregel ter bescherming van de openbare zeden.

In de Jozefsoera worden Jozef steeds woorden in de mond gelegd die sterke gelijkenis vertonen met Mohammeds boodschap. In gesprek met zijn medegevangenen zegt Jozef onder meer: 'Het past ons niet aan God ook maar iets als metgezel toe te voegen. Dat is een deel van Gods genade aan ons en aan de mensen. Maar de meeste mensen betuigen geen dank. O mijn beide medegevangenen! Zijn verschillende Heren beter of God, de Enige, de Albeheerser? Wat jullie in plaats van God dienen zijn alleen maar namen die jullie en jullie vaderen gegeven hebben en waarvoor God geen enkele machtiging had neergezonden' (12:38-40). Door Jozef te laten waarschuwen tegen 'genotengeverij' en de afgoden te reduceren tot verzonnen namen wordt een duidelijke parallel met de profeet van de latere Koran gecreëerd. Die parallel wordt ook vormgegeven door de woordkeus van de farao, als hij in vertwijfeling uitroept: 'O raadsorgaan, adviseer mij met betrekking tot mijn droom, als jullie dromen kunnen verklaren' (12:43). Het Arabische woord *mala*, hier vertaald met 'raadsorgaan', zegt de moderne lezer niets, maar in Mohammeds tijd zal het de luisteraars hebben doen denken aan de mala van Mekka, ofwel de raad van stamoudsten, het machtigste politieke orgaan ter plaatse dat Mohammed steeds verder de voet dwars zette. De gelijkenis is treffend: beide mala's worden geconfronteerd met goddelijk ingrijpen, maar komen niet tot een gedegen begrip ervan. Alleen de door God geleide (dat is Jozef, Mohammed) brengt het verlossende inzicht en zet daarmee de mala (ofwel: het ongelovige ancien régime) aan de kant. Dergelijke terminologische dubbele bodems maken dat het verhaal van Jozef in de Koran leest als een voorafschaduwing van de missie van Mohammed. Waar het verhaal over Jozef in Genesis een onderdeel is van de ontstaans- en overlevingsgeschiedenis van het Joodse volk, dient het Koranische Jozefverhaal om de islamitische boodschap van een historische parallel te voorzien.

Jezus

Aan Jezus worden in de Koran veel minder woorden gewijd dan aan oudtestamentische personages als Abraham, Jozef of Mozes. Daar staat tegenover dat wat er over Jezus in de Koran wordt gesteld wel zeer uitzonderlijk is. Jezus is de profeet die als geen ander in verband wordt gebracht met het verrichten van wonderen; meestal wordt daarnaar echter terloops verwezen, in plaats van dat erover wordt verhaald. Twee wonderbaarlijke aspecten aan het leven van Jezus die wel uitvoeriger in de Koran worden verteld betreffen zijn ontstaan en zijn aardse verscheiden.

'Voor God is de verschijning van Jezus zoals de verschijning van Adam, die hij had geschapen uit klei en tot wie hij dan zei: wees! En hij was.' (3:59) Zoals dit Koranvers suggereert, is de conceptie van Jezus het gevolg van Gods directe ingrijpen. Andere Koranverzen en traditieliteratuur maken dat de islamitische visie op Jezus is dat hij uit een maagdelijke Maria is geboren. De Koran is niet erg specifiek over hoe de conceptie dan precies heeft plaatsgevonden, maar in de latere legendevorming is een hoofdrol gegeven aan de engel Gabriël, die op Gods gezag Maria bezwangerde door in haar mantel te blazen. Deze hemelse inblazing zou vervolgens via haar mond of via haar schede de baarmoeder hebben bereikt.

Dit opmerkelijke begin wordt weerspiegeld door een evenzo opmerkelijk einde aan Jezus' aardse bestaan. Dat verhaal wijkt echter drastisch af van de christelijke versie. De Korantekst vermeldt namelijk: '[Zij] zeggen: "Wij hebben de *masih* [i.e. Messias] Jezus, de zoon van Maria, Gods gezant gedood." Zij hebben hem niet gedood en zij hebben hem niet gekruisigd, maar het werd hun gesuggereerd' (4:157). In deze en andere passages merken we dat de Koran, wanneer over Jezus gesproken wordt, tot op zekere hoogte eerder een polemiek voert met het jodendom dan met het christendom. 'Zij,' dat zijn de joden in Medina die volgens dit Koranvers zonder gêne zeggen dat ze Jezus hebben gekruisigd. Het is goed mogelijk dat degenen die daarover opschepten dit bedoelden als een waarschuwing aan Mohammeds adres: de laatste keer dat iemand ons vroeg om als profeet geaccepteerd te worden, liep het slecht met die persoon af. De Koran spreekt deze claim tegen: zij hebben hem helemaal niet gedood, nee, het leek alleen maar zo ('het werd hun gesuggereerd'). De traditieliteratuur verklaart dit nader, door te stellen dat het niet Jezus was die aan het kruis hing, maar iemand anders (sommigen zeggen dat het Judas was). Jezus werd de doodsstrijd bespaard: 'Zij hebben hem vast en zeker niet gedood. Echter, God heeft hem tot Zich omhoog gebracht' (4:157-8). Met andere woorden, net zoals Jezus niet werd verwekt op de beproefde aardse wijze, zo bleef hem ook de menselijke dood bespaard. Dit is natuurlijk prettig voor Mohammed, die hiermee de Medinensische joden een gewenste historische parallel uit handen slaat, maar vanuit het perspectief van de christelijke heilsleer is het rampzalig. Het lijden en de dood van Christus zijn immers essentieel voor de leerstelling dat God Zijn Zoon offerde ter verlossing van de mensheid. Op dit punt wijkt het monotheïsme van de islam wezenlijk af van dat van het christendom.

Het is op zich niet vreemd dat de Koran het idee van de maagdelijke conceptie onderschrijft, aangezien het alternatief onacceptabel is (een profeet die door ontucht is voortgebracht). De Koran voert dan ook een krachtige verdediging tegen diegenen die Maria (eig. Marjam) van onzedigheid beschuldigden.

> Toen de engelen zeiden: 'O Maria, God kondigt jou een woord van Hem aan, wiens naam zal zijn de masih, Jezus, de zoon van Maria. Hij zal in het tegenwoordige leven en in het hiernamaals in hoog aanzien staan en behoren tot hen die in de nabijheid van God zijn. In de wieg en als volwassene zal hij tot de mensen spreken en hij zal een van de rechtschapenen zijn.' Zij zei: 'Mijn Heer, hoe zou ik een kind krijgen, terwijl geen mens mij aangeraakt heeft?' Hij zei: 'Zo is het. God schept wat Hij wil. Wanneer Hij iets beslist, dan zegt Hij er slechts tegen: "Wees!" en het is.' (3:45-47)

Voor wie dit nog niet genoeg is, wordt de kwaadsprekerij over Maria door Jezus zelf weersproken terwijl hij nog in de wieg ligt. De Koran verhaalt over hoe Maria aan het eind van een korte, door niemand opgemerkte zwangerschap bevalt van Jezus en met hem terugkeert naar haar mensen:

> Toen kwam zij met hem bij haar mensen, terwijl zij hem droeg. Zij zeiden: 'O Maria, je hebt echt iets ongehoords begaan. Zuster van Aäron, jouw vader was geen slechte man en jouw moeder was geen onkuise vrouw!' Maar zij wees naar hem. Zij zeiden: 'Hoe kunnen wij spreken met iemand die nog een kind in de wieg is?' Hij [dat wil zeggen Jezus] zei: 'Ik ben Gods dienaar, Hij heeft mij het boek gegeven en mij tot profeet gemaakt.' (19:27-30)

De kritische lezer zal twee dingen zijn opgevallen uit bovenstaande paragrafen. Enerzijds vallen Jezus zeer zware en imposante theologische titels ten deel, zoals 'Woord van God' en 'Messias'. Elders wordt hij aangeduid als een 'Geest bij Hem vandaan' (4:171). Anderzijds ontbreekt daar die ene omschrijving die in christelijke theologie centraal staat: Jezus als Zoon van God. Dat is niet toevallig. Het fundamentele verschil tussen de Bijbelse – of beter gezegd, christelijke – en de Koranische Jezus schuilt in de al dan niet goddelijke aard van Jezus. De Koran verwerpt expliciet de christelijke opvatting dat Jezus Gods Zoon zou zijn. De 112de soera wordt in de klassieke Koranuitleggingen opgevat als de meest bondige verwerping: 'Zeg: "Hij is God als enige, God de bestendige. Hij heeft niet verwekt en is niet verwekt en niet één is aan Hem gelijkwaardig"' (112). Kortom, God heeft geen zoon en is geen zoon. Jezus mag een uitzonderlijke profeet zijn geweest, maar goddelijkheid mag hem niet toegeschreven worden. Net zo expliciet is de Koran over het verwante dogma van de drie-eenheid, zoals dat officieel was vastgesteld op het concilie van Chalcedon in 451:

> Mensen van het boek! Gaat niet te ver in jullie godsdienst en zegt over God slechts de waarheid. De masih Jezus, de zoon van Maria is Gods gezant en Zijn woord dat Hij richtte tot Maria en een geest bij Hem vandaan. Geloof dan in God en zegt niet: 'Drie.' Houd daar mee op, het is beter voor jullie. Immers, God is één God. Geprezen zij Hij. Dat Hij een kind zou hebben!... (4:171)

Het valt in dit vers op dat de toon die wordt aangeslagen tegen de christenen iets goedmoedigs heeft. Alsof de christelijke toehoorders zelf ook wel in zullen zien dat drie en één niet hetzelfde kunnen zijn. We weten veel te weinig om iets met zekerheid te kunnen zeggen over de exacte geloofsvoorstellingen van de Arabische christenen op het schiereiland, maar het is heel goed mogelijk dat er christengemeenschappen waren die de drie-eenheid verwierpen. In elk geval waren er handelscontacten met de Arabische Ghassaniden in Syrië, van wie velen de doctrine van de drie-eenheid verwierpen en met de Arabische Lakhmiden in Zuid-Irak, voor wie hetzelfde gold.

Maar hoe zit het dan met die grootsprakerige titels als 'Messias', of 'Woord van God'? Dat zijn termen die in de Koran voor niemand anders gebruikt worden, maar die ook nergens worden geduid. We kunnen hieraan dan ook niet de betekenissen toekennen die ze in de christelijke theologie hebben (de Messias als de Gezalfde met de connotatie van Verlosser, en het Woord in de betekenis van God zoals in het Evangelie van Johannes: 'In den beginne was het Woord, en het Woord was bij God, en het Woord was God', Joh. 1:1). We vinden in de Koran dus wel de woorden, maar niet met hun in het christendom gangbare betekenissen. De Utrechtse intercultureel theoloog Karel Steenbrink heeft ze wel vergeleken met zwerfstenen van een andere planeet, die te midden van een nieuwe omgeving zijn terechtgekomen en hier dus ook anders geïnterpreteerd moeten worden. Met name in de islamitische mystiek heeft het idee van Jezus en andere profeten als 'woorden' van God een geheel eigen invulling gekregen.

Tussen overname en correctie

Van oudsher is vanuit joods en christelijk perspectief met misnoegen gekeken naar de tekstuele parallellen tussen de twee Testamenten enerzijds en de Koran anderzijds. Wie niet gelooft dat Mohammed goddelijke openbaringen ontving, kan die parallellen alleen verklaren door uit te gaan van bewust of onbewust plagiaat. De islamitische apologeten komen dan al snel aan met het argument dat Mohammed niet kon lezen, maar dat heeft op de criticasters nooit indruk gemaakt: ook mondeling overgeleverde verhalen kan men zich toe-eigenen. Aangenomen dat mondelinge overlevering sneller leidt tot corrumpering van een tekst, zou dit ook meteen verklaren waarom er zo veel dingen in de Koran staan die, vanuit joodse en christelijke zijde bezien, niet kunnen kloppen. Zo is er veel werk gemaakt van het feit dat in de Koran Maria, de moeder van Jezus, wordt aangesproken als 'O Zuster van Aäron' (19:28). Nu was er wel een Maria die een broer had die Aäron heette, maar dat is de Maria (of: Mirjam) uit het Oude Testament, de zuster van Mozes en Aäron. Hier lijkt het er op het eerste gezicht op dat de Korantekst twee Bijbelpersonages met elkaar verwart. De traditieliteratuur lost dit probleem op door te stellen dat het indertijd de gewoonte was van mensen om elkaar vrome bijnamen te geven en 'Zuster van Aäron' moet dan als zodanig worden begrepen. Nu is dit een beetje een noodgreep, maar in wezen kan men zich vanuit een islamitisch standpunt veel eenvoudiger tegen dergelijke kritiek teweerstellen. Immers, de Koran is gekomen om de oudere, verdraaide versies van de Openbaring te vervangen: alle discrepanties tussen Bijbel en Koran geven alleen maar aan hoezeer neerdaling van de Koran noodzakelijk is geweest. Maar zulke argumenten zullen natuurlijk alleen maar gelovige moslims overtuigen.

5 De theologie van de Koran

In de voorgaande hoofdstukken is al impliciet een beeld gegeven van de inhoud van de Koran ten aanzien van praktische morele vragen: hoe dient de mens zich te gedragen tegenover mens en God? Hieronder gaan we wat dieper in op het godsbeeld dat uit de Koran naar voren komt. Veel van dat godsbeeld zal lezers met een christelijke of joodse achtergrond bekend voorkomen, en met goede redenen. Niet alleen wordt herhaaldelijk en expliciet vermeld dat de Koran de bevestiging en afronding vormt van de openbaring die aan de profeten van het Oude en Nieuwe Testament is gegeven; ook het feit dat jodendom, christendom en islam alle drie monotheïstische religies zijn, leidt tot vergelijkbare theologische kwesties. Vragen die in monotheïstische religies sterker spelen dan in polytheïstische, zijn bijvoorbeeld die naar de verhouding van de goddelijke almacht tot de menselijke vrije wil en naar de verzoening van Gods volmaakte goedheid met het bestaan van kwaad in de wereld.

Islamitische theologen hebben zich langdurig over zulke en andere vragen gebogen en het daarbij niet gemakkelijker gehad dan christelijke theologen ten aanzien van de Bijbel. Verschillende passages in de Koran over bijvoorbeeld de menselijke vrije wil en verantwoordelijkheid lijken in strijd met opmerkingen over Gods almacht elders; ook de verhouding tussen God en schepping komt uit de Korantekst niet ondubbelzinnig naar voren. Veel van deze discussies dateren van een latere datum. Pas in de tweede en derde eeuw van de islamitische tijdrekening begon de islamitische dogmatiek vastere vorm aan te nemen. Hieronder zullen we kort enkele theologische dimensies van de Koran aangeven, zoveel mogelijk zonder stelling te nemen in debatten die in latere eeuwen over deze kwesties zijn gevoerd.

In de latere islamitische traditie worden de goddelijke eenheid en transcendentie aangeduid met de term *tawhid*, een term die overigens niet in de Koran voorkomt. Wel wordt herhaaldelijk in de Korantekst vermeld dat

God geheel boven of buiten de geschapen wereld staat en dat Hij geen kenmerken gemeen heeft met Zijn schepping, met name in de beroemde en korte aanduiding 'Niets is aan hem gelijk' (42:11). Maar deze volstrekte transcendentie roept onmiddellijk de vraag op hoe God dan actief kan zijn in een schepping waarmee Hij niets gemeen heeft. Ook botst de idee van Gods volstrekte transcendentie met de talrijke passages die menselijke kenmerken aan Hem toe lijken te schrijven. Zo vermeldt vers 10:3 dat God na de zesdaagse schepping op Zijn troon plaatsnam om zijn schepping te besturen; in diverse passages wordt gesproken van Gods 'handen' (39:67), of wordt de indruk gewekt dat God ogen heeft. Sommige latere theologen hebben gesteld dat zulke passages, die menselijke kenmerken aan God lijken toe te schrijven, moeten worden opgevat als figuurlijke aanduidingen van de goddelijke almacht, rechtvaardigheid, enzovoort; andere theologen hebben verkondigd dat moslims slechts te aanvaarden hebben wat er in de Korantekst staat en zich niet zouden moeten afvragen hoe het allemaal kan kloppen wat er wordt vermeld.

God en de schepping

De verhouding tussen God en Zijn schepping zoals die in de Koran wordt beschreven vertoont op veel punten overeenkomsten met het Bijbelse verhaal. Zo wordt vermeld dat Hij de schepping in zes dagen heeft voltrokken, als een daad van goddelijke genade. Onmiddellijk daarna wordt echter duidelijk dat Hij volgens de Koran ook daarna nog onophoudelijk actief blijft in de schepping, met name door zijn *amr*:

> Jullie Heer is God die de hemelen en de aarde in zes dagen geschapen heeft. Toen vestigde Hij zich op de troon. Hij laat de nacht de dag bedekken terwijl hij hem haastig najaagt. En de zon, de maan en de sterren zijn onderworpen aan Zijn zeggenschap. (7:54)

De term amr wordt wel als 'gebod', 'bevel' of 'zeggenschap' vertaald, maar duidt iets preciezer gezegd op de onophoudelijke inwerking van Gods wil in de wereld. Volgens latere theologen duidt dit erop dat de hele schepping elk moment voor zijn bestaan afhankelijk is van de Schepper.

Ook elders wordt God omschreven als alomtegenwoordig en almachtig, en als alziend en alwetend.

De vraag hoe God enerzijds geheel buiten de schepping kan staan en tegelijkertijd 'dichterbij dan je halsslagader' (50:16) is, of geheel transcendent kan zijn en desondanks elk moment in Zijn schepping kan ingrijpen, heeft moslimtheologen eeuwenlang beziggehouden. Ook de nadruk op goddelijke almacht enerzijds en menselijke vrijheid anderzijds is moeilijk tot één coherente visie te smeden. De gedachte van God als bron van alle dingen en daden in de schepping laat op het eerste gezicht geen ruimte voor menselijke vrije wil of verantwoordelijkheid. Het is zelfs moeilijk om in te zien hoe een rechtvaardige God over mensen kan oordelen als hijzelf in zekere zin degene is die hun daden heeft verricht. Het geloof in de goddelijke almacht heeft niet per se tot een passieve of fatalistische houding onder moslims geleid; maar in de Koran wordt deze spanning tussen goddelijke macht en menselijke verantwoordelijkheid niet systematisch aan de orde gesteld, laat staan opgelost. Het valt te betwijfelen of er op zulke vragen een antwoord te geven valt dat ook ongelovigen zal overtuigen. De sublieme en vaak ontzagwekkende evocaties van de goddelijke almacht, met name in de vroegste Koranpassages, hebben echter niet als hoofddoel om de mensen aan te zetten tot theologische discussies, maar om ze te doordringen van de dag des oordeels en niet op hun eigen kracht of wereldse voorspoed te vertrouwen. Vooral de rijken worden aangespoord om niet 'arrogant' te worden vanwege hun welvaart; in het hiernamaals zullen ze op hun daden worden beoordeeld: 'jullie zullen ter verantwoording worden geroepen over wat jullie aan het doen waren' (16:93).

De Koran spreekt veel van straffen en beloningen in het hiernamaals: aan de gelovigen en vromen wordt het paradijs in het vooruitzicht gesteld, en voor de zondaars wacht het hellevuur. Al is de Koran net als de Bijbel op dit punt niet erg precies, toch stelt de islamitische leer dat de meeste mensen pas op de dag des oordeels naar de hemel of naar de hel zullen gaan; alleen de martelaren (*shahids*) hebben zo veel verdiensten dat ze meteen na hun dood in het paradijs terecht zullen komen. Deze gedachte wordt behalve door tradities gelegitimeerd met het vers dat luidt: 'En denk van hen die op Gods weg gedood worden niet dat zij dood zijn; zij zijn juist levend bij hun Heer, waar in hun onderhoud wordt voorzien' (3:169).

Het thema van de dag des oordeels of het einde der tijden verschijnt veelvuldig in de Koran, met name in de vroege Mekkaanse soera's. Er wordt gesproken van een dag van de wederopstanding (*yawm al-qiyama*), waarop de doden weer tot leven zullen worden gewekt, en van een dag des oordeels (*yawm al-din*), waarop mensen en andere schepselen zullen worden gekeurd op hun daden, en navenant beloond met een verblijf in het paradijs (*djanna*) of bestraft met verbanning naar de hel (*djahannam*). Op sommige plekken worden de termen van de dag de wederopstanding en de dag des oordeels door elkaar gebruikt, alsof ze op hetzelfde neerkomen. Volgens de Koran zal het einde der tijden worden aangekondigd door allerlei vreemde verschijnselen in de natuur, zoals 'Wanneer de zon wordt omwonden. En wanneer de sterren neerstorten. En wanneer de bergen in beweging gezet worden' (81:1-3). Andere passages beschrijven in ontzagwekkende termen hoe op deze dag de goddelijke almacht zich zal manifesteren. Meermaals verkondigt de Koran dat er op de dag des oordeels een klaroen- of trompetstoot zal weerklinken; daarop zullen alle schepselen op aarde en in de hemelen – mensen, engelen en dieren – sterven, behalve degenen die God in leven wil laten. Vervolgens zullen alle wezens wederopstaan en voor God verschijnen, met in hun hand een boek waarin hun daden staan geschreven. Gods oordeel op deze dag is definitief voor alle eeuwigheid.

De hemel of het paradijs (de termen worden in de Koran vrijwel als synoniem van elkaar gebruikt) wordt doorgaans voorgesteld als een groene tuin of vallei vol verkoelende stromen en rijpe vruchten. Om er een plaatsje te verkrijgen is geloof niet genoeg; op diverse plaatsen wordt verkondigd dat het 'rechtvaardige daden' zijn die de toegang tot het paradijs garanderen. Onder die goede daden vallen onder meer bidden, het geven van aalmoezen, het voeden van armen of wezen en het bevrijden van slaven (zie onder meer 90:13-17). De belangrijkste zegening in het paradijs wordt natuurlijk gevormd door het verblijf in de nabijheid van God en door het ontvangen van Zijn zegen en genade; maar de gelovigen krijgen ook meer aardse en lichamelijke genoegens in het vooruitzicht gesteld. De beroemdste van deze paradijselijke genoegens zijn natuurlijk de 'grootogige houri's' die de – mannelijke – gelovigen worden beloofd. Andere genietingen die de gelovigen in het vooruitzicht worden gesteld zijn vers fruit, gewaden van zijden en brokaat, en zelfs wijn die door onsterfelijke knapen wordt geschonken, waarvan op sommige plaatsen wordt gezegd dat ze niet bedwelmend is, en geen hoofdpijn met zich meebrengt (bv. 56:17-19).

De mens

Al in de allereerste openbaring wordt aan Mohammed verkondigd dat de mens geschapen is uit een bloedklonter, en elders staat: 'God heeft jullie uit aarde en dan uit een druppel geschapen en dan heeft hij jullie tot echtgenoten gemaakt.' (35:11). Ondanks deze nederige afkomst heeft de mens een verheven status onder de schepselen: hij is de 'plaatsvervanger' (*khalifa*) van God op aarde. Alle mensen zijn gelijk en hebben een directe relatie tot God. In de Koran wordt dan ook geen gewag gemaakt van tussenpersonen die voor de individuele gelovige bij God kunnen bemiddelen. Sterker nog, de Koran benadrukt keer op keer dat het God alleen is die beschikt en dat de mens naast Hem geen beschermer nodig heeft (bijv. 2:107). De islamitische praktijk heeft in de loop van de geschiedenis wel anders laten zien. In rurale gebieden konden de gelovigen een beroep doen op dorpsimams, in de steden waren de schriftgeleerden (*ulama*) het vanzelfsprekende gezag in religieuze aangelegenheden, en vrijwel overal kon – en kan – je mystieke leiders of sjeiks aantreffen, die volgens hun aanhangers 'heilig' (*wali*) zijn, en als zodanig gezegend met bijzondere geneeskundige en andere krachten. Geen van deze religieuze gezagsdragers worden echter als zodanig door de Koran gesanctioneerd. Weliswaar is er geen islamitische paus of synode, die een voor alle moslims gezaghebbend oordeel in geloofszaken uit kan spreken; maar eeuwenlang vormden de schriftgeleerden een erfelijke kaste met een bijzondere maatschappelijke macht en er bestaat op veel plaatsen nog altijd een heiligencultus, met name rond de graven van sjeiks. Maar hier betreden we het terrein van de islam als volksgeloof of als levende en beleefde religie. Die vertoont een complexe en sterk wisselende relatie met de tekst van de Koran en valt buiten het bestek van deze inleiding.

Als gezegd is de mens gemaakt uit aardse materie zoals klei en stof, in tegenstelling tot engelen, die uit vuur gemaakt zijn. Toch is de mens in een belangrijk opzicht boven de engelen verheven, zoals duidelijk wordt uit het verhaal van de duivel, die onder de engelen een bijzondere plaats inneemt: hij weigert om voor Adam, de eerste mens, te buigen en wordt daarvoor door God bestaft met verbanning uit de hemel. De duivel wordt in de Koran aangeduid met de namen Iblis (van het Griekse 'diabolos') en Shaytan (vgl. Satan). Evenals de Bijbelse duivelsfiguur gaat deze terug tot Ahriman, het zoroastriaanse principe van het kwaad, dat in de mazdeïstische religie in kosmische status vrijwel gelijk is aan de God van het goede, Ahura Mazda. Opmerkelijk is dat de Koranische figuur van de duivel uitsluitend op basis van de joodse en christelijke tradities lijkt te zijn gevormd en geen kenmerken vertoont die tot directe contacten met het mazdeïsme te herleiden zijn.

Profeten

Een bijzondere status onder de mensen hebben de profeten. De term 'boodschapper' (*rasul*) of 'profeet' (*nabi*) wordt vaak gebruikt om degenen aan te duiden die Gods openbaring aan de mensen bekendmaken. Alleen een mens kan een nabi zijn; maar ook engelen, met name Djibril (Gabriël), kunnen als boodschapper fungeren, bijvoorbeeld bij de annunciatie aan Maria. Of in dit geval en in vergelijkbare omstandigheden de menselijke ontvanger van de boodschap ook als profeet kan worden aangemerkt, is een vraag voor de theologen.

Profetie is een bijzondere gave, die niet ieder mens bezit; maar hoe onderscheid je echte en valse profeten? De vraag hoe je weet dat je profetische openbaringen of visioenen echt zijn en niet door de duivel ingegeven, komt herhaaldelijk in de Korantekst aan de orde. Geregeld worden hier Gods openbaringen aan Mohammed omschreven als *ayat*, 'tekenen' (enkelvoud: *aya*). Van wonderen, dat wil zeggen onverklaarbare daden of gebeurtenissen die een bewijs van goddelijke steun en zegen moeten leveren, is in de Koran opmerkelijk weinig sprake. Mohammed zelf verricht geen wonderen, zoals over water lopen of het weer tot leven wekken van doden. Weliswaar wordt gewag gemaakt van de wonderen verricht door Jezus, die 'gekomen is met een teken van jullie Heer' (3:49); maar die zijn volgens de Korantekst nadrukkelijk geen bewijs voor de bewering dat ook hijzelf goddelijke status heeft. Vaak worden wonderen in de Koran juist negatief beoordeeld, omdat ze verbonden zijn met magie en daardoor veeleer met duivelse dan met goddelijke machten. Het gehoor van profeten en wonderdoeners kan dan ook terecht vragen om een teken (aya) dat als bewijs kan dienen van de goddelijke oorsprong. Het Koranische antwoord op die vraag is dat het grootste wonder van Mohammeds openbaring de Koran zelf is: die is immers verkondigd in een taal die zichzelf superieur verklaart aan elk aards literaire voortbrengsel: 'Zeg: "Als de mensen en de djinn zich zouden verenigen om met net zoiets als deze Koran te komen, dan zouden ze toch niet met iets overeenkomstigs komen, ook al zouden ze elkaar tot hulp zijn."' (17:88).

Deze niet-imiteerbaarheid (*i'djaz*) van de Korantaal is in later jaren tot een algemeen aanvaard dogma van de islamitische geloofsleer geworden. Volgens de Korantekst was Mohammed dus niet gezegend met bijzondere gaven anders dan die van de profetie. Op één plaats wordt hij zelfs omschreven als een man van het gewone volk: vers 7:57 noemt hem *ummi*, wat door de islamitische traditie wordt vertaald met 'ongeletterd'.

De Koran maakt meermaals gewag van een keten van profeten die elk een deel van de openbaring ontvangen. Onder hen speelt Abraham (in het Arabisch Ibrahim) een bijzondere rol, omdat hij niet kon steunen op het werk van voorgangers: 'Ibrahim was niet jood, noch christen, maar hij was een aanhanger van het zuivere geloof die zich aan God overgaf (*hanif muslim*) en hij behoorde niet tot de veelgodendienaars' (3:67).

Het ware geloof wordt ook elders aangeduid als het 'geloof van Ibrahim' (6:161). De opeenvolgende profeten, zoals Noach, Mozes, Jezus en uiteindelijk Mohammed, worden in de Koran vol eerbied beschreven, omdat zij allen een deel, of versie, van Gods ware, monotheïstische openbaring hebben ontvangen. Hierop sluit natuurlijk de gedachte aan dat Mohammeds profetie de openbaring van zijn voorgangers 'bevestigt'. Vers 33:40 omschrijft Mohammed als het 'zegel van de profeten' (*khatam al-nabiyyin*); dat wordt gewoonlijk geduid als een verkondiging dat de profetie met Mohammed is afgerond en dat er na hem geen andere profeten meer zullen verschijnen.

De Koran vertoont een wat ambivalente houding tegenover de gedachte dat het volk dat een specifieke openbaring ontvangt ook door God is uitverkoren, zoals in het Oude Testament de joden overkomt. Herhaaldelijk wordt hier verklaard dat elk volk of elke natie (*umma* of *qawm*) zijn eigen profeet heeft en dat elke profeet zijn specifieke openbaring verkondigt in de taal van zijn eigen volk. Zo zou Mohammed dus in eerste instantie de profeet van de Arabieren zijn, en wordt vermeld dat zijn openbaring is gevat in helder Arabisch (26:195 en elders); maar elders wordt juist weer gezegd dat Mohammed als boodschapper voor de hele mensheid, of voor alle wereldbewoners, is gezonden (4:79; 21:107). In de loop der tijden heeft natuurlijk de gedachte dat de islam een universele religie is de overhand gekregen; maar het Arabisch als taal van de openbaring heeft er altijd een bijzondere positie in behouden.

Over de opeenvolging van monotheïstische profeten is door moslims ook anders gedacht. In de mystieke traditie, met name in de invloedrijke geschriften van Ibn Arabi, wordt elke profeet voorgesteld als de belichaming van een specifiek goddelijk woord (*kalima*) of van een specifiek kenmerk van God. Dat kun je beschouwen als een generalisatie van de gedachte dat in Jezus het woord vlees geworden is, die je in het Nieuwe Testament tegenkomt (Johannes 1:1-14). In deze mystieke opvatting volgen de profeten elkaar niet zozeer op in de tijd, maar zijn ze verschillende verschijningsvormen of aspecten van de ene goddelijke realiteit. Ook Mohammed is in deze visie geen sterfelijk persoon die in een specifieke historische periode heeft geleefd, maar een tijdloos woord of aspect van God, de *haqiqa muhammadiyya* of 'mohammedaanse waarheid'. Dergelijke speculatieve visies zijn niet rechtstreeks of letterlijk in de Korantekst terug te vinden, maar ze worden er wel met behulp van soms zeer creatieve leeswijzen uit afgeleid.

Eén bijzonder stel vragen, dat in de islam sterker, of in ieder geval anders, speelt dan in jodendom en christendom, betreft de precieze status van de openbaring als Gods woord. Volgens moslims is de openbaring niet rechtstreeks van God tot Mohammed gekomen, maar bemiddeld door de aartsengel Djibril, ofwel Gabriël; maar sommige Koranpassages suggereren dat Mohammed God zelf heeft gehoord of aanschouwd. Een ander specifiek islamitisch dilemma betreft de vraag naar de zogeheten ongeschapenheid van de Koran. In de Koran zelf wordt gewag gemaakt van een 'goedbewaard paneel' (*lawh mahfuz*) (85:22), waarop de Koran staat. Door sommigen wordt dit paneel gelijkgesteld aan het 'boek van God' (33:6);

het is later ook wel opgevat als het hemelse prototype van de Koran, die op een specifiek moment naar de mensheid is neergezonden. Maar deze frase is ambivalent: is het de tafel zelf die welbewaard is of is het de Koran die erop bewaard wordt? Elders wordt gesproken van de 'moeder van het boek' (*umm al-kitab*) (13:39, 43:4), die de bron van de Koran en alle andere monotheïstische heilige geschriften zou vormen. Betekent dit wellicht dat de Korantekst niet simpelweg op een specifiek moment aan Mohammed is geopenbaard, maar in zekere zin eeuwig is en altijd al heeft bestaan? Die vraag is sinds ruwweg de negende eeuw door zowel orthodoxe geleerden als mystici bevestigend beantwoord.

In de islamitische traditie heeft de vraag van de geschapenheid van de Koran echter ook tot een andere discussie geleid, aangaande de vraag of de Koran een onderdeel van de schepping is of juist een eeuwig en ongeschapen kenmerk van God zelf. Deze vraag speelt niet in de Korantekst, maar ze heeft de latere ontwikkeling van de islamitische theologie en de verhouding tussen de religieuze specialisten en de wereldse machthebbers mede gevormd. Onder een aanvankelijk machtige en invloedrijke groep theologen van de tweede en derde eeuw van de islamitische jaartelling, de zogeheten *Mu'tazila*, ontwikkelde zich de doctrine dat Gods woorden geschapen zijn. Deze doctrine was niet alleen theologisch van belang: op een gegeven moment werd ze ook tot een politiek strijdpunt. In het jaar 833 verklaarde de toenmalige kalief Ma'mun deze doctrine van de ongeschapenheid tot staatsleer en eiste dat alle hoffunctionarissen hun loyaliteit eraan verklaarden. Om die loyaliteit te waarborgen stelde hij ook een soort inquisitie in, de zogeheten *mihna*, die erop moest toezien dat de ambtenaren aan zijn hof de leer van de ongeschapen Koran inderdaad zouden aanvaarden. Tegenstanders brachten tegen de Mu'tazila-opvattingen in dat de Koran, als Gods eigen woord, een kenmerk of eigenschap van God zelf is en daardoor eeuwig en ongeschapen. Met name Ahmad ibn Hanbal, de grondlegger van een van de klassieke rechtsscholen in de islam, verzette zich heftig tegen de leer van de geschapen Koran en nog heftiger tegen het idee dat de kalief zichzelf als de hoogste autoriteit in deze theologische aangelegenheden wilde doen gelden.

Aan de mihna kwam al in 861 een einde, en de leer van de geschapen Koran verloor zijn kalifale voorspraak toen een kalief aantrad die zich schikte in de stellingname van Ibn Hanbal. Sindsdien is de doctrine van de ongeschapen Koran sterker dan ooit tevoren een centrale islamitische leerstelling, met name onder soennieten. Het rationalisme van de Mu'tazila verdween in de soennitische wereld grotendeels toen de steun van de heersers wegviel; maar in de sjiitische theologie zijn mu'tazilitische ideeën nog veel langer blijven voortbestaan.

Gelovigen en ongelovigen

Het woord *islam*, letterlijk 'onderwerping' aan de wil van God, komt opmerkelijk weinig voor in de Koran. Het is ook niet de belangrijkste term om Mohammeds openbaring mee aan te duiden. Vaker, met name in de vroegste verzen, wordt gewag gemaakt van de 'godsdienst bij God' (*din 'and Allah*, bijv. 3:19). Deels hangt dit samen met de ambivalente visie op de openbaring van joden en christenen: deels wordt deze voorgesteld als onderdeel van of voorafspiegeling van, de volledige, uiteindelijke openbaring die met Mohammed zijn afronding vindt. Belangrijker dan islam als een specifieke godsdienst is de term *iman* (geloof), die doorgaans tegenover *kufr* (ongeloof) wordt gebruikt. De inhoud van beide termen varieert echter nogal. De term *mu'min* (gelovige) is breder dan die van moslim: ook joden en christenen kunnen gelovigen zijn. Ze is bijvoorbeeld ook van toepassing op een naamloze volgeling van Mozes (40:28).

De ongelovige (*kafir*) is in de Koran dus niet simpelweg of ondubbelzinnig degene die de aan Mohammed geopenbaarde Koran niet aanvaardt. In plaats daarvan treffen we verschillende, deels overlappende en deels strijdige, termen aan om ongelovigen en/of niet-moslims aan te duiden. Een eerste en meteen al problematische groep is die van de 'volken van het boek' (*ahl al-kitab*); deze bestaat uit de joden en christenen. Volgens sommigen vallen ook de mysterieuze Sabeeërs (2:62) onder deze categorie, maar daarover bestaat geen overeenstemming; daarom laten we deze groep verder rusten. De volken van het boek hebben een deel of een eerdere versie van de uiteindelijke openbaring ontvangen. Omdat herhaaldelijk wordt gezegd dat Mohammeds openbaring de eerdere profetieën 'bevestigt', krijg je de indruk dat ze als gelovigen kunnen worden gekenmerkt: ze hangen immers het ware, monotheïstische geloof aan, zij het in een voorlopige en onvolmaakte vorm. In sommige Mekkaanse soera's worden ze zelfs als voorbeeld tot navolging gepresenteerd. Maar elders worden alle joden en christenen weer aangeduid als ongelovigen, omdat ze Mohammed niet erkennen als profeet. En alsof dat allemaal niet ingewikkeld genoeg is, worden op weer andere plaatsen (onder meer 98:6-7, 28:52-54) onder de volken van het boek ook weer gelovigen en ongelovigen onderscheiden. Volgens sommige commentatoren zijn de gelovigen onder de volken van het boek de bekeerlingen tot de islam, maar dat is niet waarschijnlijk. Zo maakt bijvoorbeeld vers 62:5 expliciet gewag van joden die hun eigen openbaring (de Thora) afwijzen, en vergelijkt dezen met ezels die een last dragen waarvan ze de zin niet begrijpen: 'Zij aan wie de Thora is opgelegd en die het daarna toch niet konden dragen lijken bijvoorbeeld op een ezel die boeken draagt'.

Ondubbelzinniger ongelovigen dan joden of christenen zijn de heidense Arabieren, die in de Koran doorgaans worden aangeduid met de term *mushrikun*, veelgodendienaars of polytheïsten. Dezen bespotten niet alleen de boodschap van Mohammed, maar ook die van eerdere profeten zoals Abraham en Mozes. Voor hen bestaat er geen vergiffenis (4:48), en zij zullen samen met de ongelovigen onder de joden en christenen in het hiernamaals bestraft worden:

> Zij onder de mensen van het boek die ongelovig zijn en de veelgodendienaars zullen in het vuur van de hel zijn, waar zij altijd zullen blijven; zij zijn het slechtst af van de schepping. Maar zij die geloven en deugdelijke daden doen, zij zijn het best af van de schepping. (98:6-7)

In een strenge lezing van het begrip *shirk* (polytheïsme) zouden ook christenen, die in de heilige drie-eenheid van Vader, Zoon en Heilige Geest geloven, veelgodendienaars zijn omdat ze de enkelvoudige en transcendente God genoten geven. Maar dat gebeurt niet: wel worden christenen bij herhaling van shirk beschuldigd (bijv. 5:73), maar ze worden nergens als mushrikun aangeduid.

Weer een andere groep ongelovigen wordt gevormd door de hierboven al genoemde huichelaars of hypocrieten, die met de mond wel hun geloof in de profetie van Mohammed belijden, maar het laten afweten als het op daden aankomt. Merkwaardig genoeg wordt nergens in de Koran uitvoerig gewag gemaakt van aanhangers van het mazdeïsme, de door Zarathoestra gepredikte religie die in het nabijgelegen Irak en Iran veel aanhangers had. De enige keer dat mazdeïsten, in het Arabisch *madjus*, worden vermeld is in 22:17; en uit deze vermelding wordt niet duidelijk of ze nu tot de ware gelovigen of volken van het boek behoren of niet. In de praktijk werden mazdeïsten door de opeenvolgende islamitische machthebbers doorgaans als volken van het boek behandeld en getolereerd. Atheïsme, de meest radicale vorm van ongeloof, komt in de Koran niet voor.

Het idee van verkettering of *takfir*, het als ongelovige brandmerken van iemand die zichzelf als moslim omschrijft, staat niet in de Koran, en wordt in de traditieliteratuur afgekeurd. De maatschappelijke risico's ervan zijn immers overduidelijk: overijverige moslims zouden dan maar al te gemakkelijk voor eigen rechter kunnen gaan spelen, wat alleen maar tot riskante onderlinge verdeeldheid ofwel *fitna* kan leiden. Ondanks het feit dat de traditieliteratuur en handboeken voor islamitisch recht zich afkeurend uitlaten over 'verkettering', heeft takfir in de islamitische geschiedenis regelmatig een rol van belang gespeeld. Eerst was dat het geval in de woelige jaren vlak na Mohammeds dood, toen er fel om zijn erfgoed werd gestreden. Later werd takfir bijvoorbeeld ingezet in de strijd tussen het (soennitische) Ottomaanse rijk en het (sjiitische) Safavidenrijk. Daarna zien we in de twintigste eeuw radicale groeperingen verschijnen die hun medemoslims (en vooral de gezagsdragers) voor ongelovigen beginnen uit te maken.

Op de vraag hoe moslims met ongelovigen moeten omgaan, worden door de Koran verschillende antwoorden gegeven. Als gezegd zijn de vroege, Mekkaanse verzen op dit punt doorgaans wat vriendelijker dan de latere Medinensische openbaringen. Maar ook de latere openbaringen staan niet allemaal op één lijn. Sommige verzen bevelen aan om de ongelovigen te negeren en de omgang met hen te mijden, omdat zij de gelovigen toch alleen maar bespotten of uitlachen (83:29). Ook wordt diverse keren vermeld dat Gods profeten, inclusief Mohammed, door de ongelovigen zullen worden bespot (bv. 15:11; 36:30). De reactie daarop is opmerkelijk gelaten.

Een heel andere manier van omgaan met ongelovigen is door middel van gewapende strijd of oorlog. Er zijn meerdere verzen die algemene en aanhoudende oorlog tegen de ongelovigen prediken: 'Strijd tegen hen [de ongelovigen] tot er geen verzoeking meer is en de gehele godsdienst alleen God toebehoort (...)' (8:39; vgl. 2:216, 47:4). Algemener worden moslims opgeroepen tot jihad of 'inspanning' omwille van het geloof. Over het beladen begrip jihad is veel geschreven, en met name over jihad in de zin van gewapende strijd tegen het ongeloof, of tegen ongelovigen; maar in de Koran komt de term ook in andere betekenissen voor. Veel van deze verzen suggereren daarbij dat gewapende strijd alleen gepast is wanneer moslims door ongelovigen worden bedreigd; er zijn ook passages die nadrukkelijk aanbevelen om vrede te sluiten met ongelovigen die zich niet dreigend opstellen: 'En als zij geneigd zijn tot vrede, wees daar dan ook toe geneigd en stel je vertrouwen op God' (8:61; vgl. 4:90). Het zijn dergelijke verzen die sinds de negentiende eeuw zijn gebruikt door islamitische geleerden om het idee tegen te gaan dat de Koran oproept tot geweld.

Voorts lijkt deze strijd voor het geloof vooral politiek en territoriaal: ze betreft het veroveren en onder islamitisch gezag brengen van niet-islamitische landen, maar niet het opleggen van het geloof. Dit weerspiegelt ook de realiteit van de vroegste islamitische veroveringen: de moslims veroverden razendsnel een gebied dat zich uitstrekte van de Atlantische Oceaan tot in Centraal-Azië; maar ze deden geen serieuze pogingen om de bevolking te bekeren. Het zou nog eeuwen duren voor een meerderheid van de bevolking in gebieden onder islamitisch gezag zelf ook moslim was.

De theologische rechtvaardiging die vaak voor dit historische gebrek aan bekeringsijver wordt gegeven ligt in het beroemde vers 'in de godsdienst is geen dwang' (2:256), dat suggereert dat het een vrije keuze van elk individu is om al dan niet het ware geloof aan te hangen. Verscheidene latere commentatoren stelden echter dat dit vers is geabrogeerd (zie voor abrogatie: hoofdstuk 6) ofwel afgeschaft, door het latere 'zwaardvers' en door andere latere openbaringen met een meer militante strekking:

> Als de heilige maanden zijn verstreken, dood dan de veelgodendienaars waar jullie hen vinden, grijpt hen, belegert hen en wacht hen op in elke mogelijke hinderlaag. Maar als zij berouw tonen, de *salat* (i.e. gebed) verrichten en de *zakat* (i.e. armenbelasting) geven, legt hun dan niets in de weg. (9:5)

Maar het is de vraag in hoeverre deze opinie gemeengoed is onder moslims. Op puur tekstuele gronden valt er al het een en ander af te dingen op de suggestie dat 2:256 tenietgedaan wordt door 9:5. In het zwaardvers wordt om te beginnen geen gewag gemaakt van ongelovigen in het algemeen, en met name niet van volken van het boek, maar alleen van veelgodendienaars (mushrikun); bovendien maakt het eraan voorafgaande vers duidelijk dat dit alleen de veelgodendienaars betreft 'met wie jullie een verbond hebben gesloten'; vermoedelijk betreft dit het verbond van Hudaybiyya dat Mohammed in 628 met de polytheïstische Arabieren sloot. Maar het is natuurlijk altijd mogelijk, of voor sommigen zelfs verleidelijk, om zulke of andere verzen uit hun verband te gebruiken. Osama bin Laden bijvoorbeeld heeft het zwaardvers geregeld gebruikt in zijn oproepen tot gewapende jihad tegen de joden en de 'kruisvaarders'.

De vaakgehoorde visie dat de islam aan ongelovigen de keuze biedt tussen bekering en het zwaard kan niet met de Koran gestaafd worden. Wel wordt herhaaldelijk tegen veelgodendienaars geargumenteerd, zoals in 27:60-64; maar afgezien van passages als het zwaardvers is ook hier de aanbevolen handelwijze niet eenduidig. In sommige verzen wordt wel tot strijd opgeroepen, maar niet tot gewapende actie om ongelovigen te bekeren, zeker niet waar het volken van het boek betreft. In de praktijk werden ook aanhangers van andere religies, zoals zoroastriërs in Iran en hindoes in India, doorgaans als volken van het boek behandeld. Maar omgekeerd zijn er ook episodes van gedwongen bekeringen geweest van volken van het boek en zelfs van moslims, zoals kortstondig ten aanzien van joden en christenen in Marokko en islamitisch Spanje onder de dynastie van de Almohaden en ten aanzien van de soennitische bevolking en schriftgeleerden in Perzië toen daar in de zestiende eeuw de sjiitische dynastie van de Safaviden aan de macht kwam.

Een derde manier van met ongelovigen omgaan die in de Koran wordt aanbevolen is prediking (*da'wa*, letterlijk 'oproep' of 'uitnodiging'), dat wil zeggen om ongelovigen met behulp van argumenten of onderwijs ertoe te brengen zich tot het ware geloof te bekennen. Historisch gezien is het vooral via de da'wa dat de islam zich heeft verbreid onder de bevolking van landen onder islamitisch gezag. Vooral mystieke broederschappen hebben hierbij een belangrijke rol gespeeld.

6 Koranuitleg

Tafsir (commentaar)

Het is hierboven al vaker vermeld: de Koran leest niet soepel weg. De Koran is een erkend moeilijk boek; het is ook moeilijk toegankelijk. Veel Nederlandstalige lezers die vol ijver en goede bedoelingen erin beginnen, moeten al na korte tijd afhaken omdat hun niet duidelijk wordt waar het eigenlijk over gaat, en waar al die herhalingen en toespelingen precies voor nodig zijn. Ook wie de Koran uit het hoofd leert zal door talrijke passages voor een raadsel worden gesteld. In dat mysterie schuilt wellicht ook een deel van de aantrekkingskracht en geloofwaardigheid van de Koran als Gods woord. Om ook op de lange termijn succesvol te zijn moet een heilig boek polyinterpretabel zijn, en iets raadselachtigs hebben.

Om toch zoveel mogelijk duiding te kunnen geven aan de Koran schreven geleerden al vanaf een pril stadium van de islamitische geschiedenis commentaren op de Koran, of op delen van de tekst. Dat ging niet zonder slag of stoot: er waren bijvoorbeeld geleerden die zich tegen deze duidingsliteratuur keerden, met als argument dat als God zich ergens onbegrijpelijk uitlaat, het blijkbaar Zijn wil moet zijn dat Hij op dat punt niet begrepen zal worden. Dat de Koran in bepaalde verzen in raadselen spreekt lezen we ook in de Koran zelf, waar het in 3:7 gaat over 'eenduidige tekenen' (*muhkamat*) en 'meerduidige tekenen' (*mutashabihat*). Maar niet wordt vermeld welke verzen duister zijn en wie precies degenen zijn die het recht of het vermogen hebben om ze te duiden. Om deze vragen heen is in de islamitische traditie een rijke technische literatuur ontstaan.

De duidingsliteratuur heeft zich door de eeuwen heen ontwikkeld tot een breed front van diverse instrumenten waarmee geprobeerd wordt de Koran te ontsluiten. De meest elementaire vorm is die waarbij synoniemen worden gegeven voor de in de Koran gehanteerde woorden. Vanaf de achtste eeuw ontstonden er echter vooral door de opkomst van de studie van de

Arabische grammatica, ook werken waarin de Koran taalkundig werd geanalyseerd. Zo werden onduidelijkheden opgelost over waar specifieke voornaamwoorden naar verwijzen, of welk zinsdeel er door een ontkenningspartikel wordt ontkend. Het probleem bij deze taalkundige insnoeiing van de betekenissen van de Korantekst was echter dat de grammatica's die in deze tijd van het Arabisch ontstonden, met de Koran in de hand werden geschreven, vanuit de overtuiging dat de Koran het zuiverste en het fraaiste Arabisch bevatte. Dat dreigt algauw tot cirkelredeneringen te leiden, waarbij de Korantekst wordt verduidelijkt op basis van een specifieke lezing van diezelfde tekst. Een ander probleem was van theologische aard. Er rees al spoedig weerstand tegen de grammaticalisering van het Koranisch duidingproces; de grammatica is immers een menselijke formulering van de taalregels waar de mens zich aan houdt. Was het niet bijzonder ongepast om Gods woord in zo'n menselijke kooi te willen vangen? Deze kritiek klonk in het bijzonder in 'traditionalistische' kringen, ofwel in de hoek van geleerden die zich voor kennis van Koran en islam verlieten op de in tradities overgeleverde kennis van wat Mohammed en zijn directe entourage zoal hadden gezegd en gedaan. Voor waar het ging om het vaststellen van de islamitische leer en een gedegen begrip van de Koran, wantrouwden zij het hanteren van de methodes van de menselijke rationaliteit, zoals belichaamd in de regels van de grammatica of van logische redeneerpatronen. Ook de stelling dat bepaalde passages overdrachtelijk of symbolisch bedoeld waren accepteerden zij in principe niet. In reactie hierop zouden Koranvorsers meer en meer hun verklaringen formuleren aan de hand van overleveringen die bij voorkeur teruggingen op de vroegste islamitische periode. Ten aanzien van het gebruik van de grammatica bij het begrijpen van de Koran legden de traditionalisten het echter af: tafsirs die al eeuwenlang en tot op de dag van vandaag gezaghebbend zijn, hanteren vaak (deels) een grammaticale benadering.

Twee klassieke tafsirs of commentaren die hier met name genoemd moeten worden zijn de tafsir van Djalalayn en de tafsir van Baydawi. De eerstgenoemde tafsir is begonnen door de vijftiende-eeuwse Djalal al-Din al-Mahalli en werd afgemaakt door diens leerling die dezelfde voornaam had, Djalal al-Din al-Suyuti. Om deze reden is de tafsir bekend komen te staan als de *Tafsir al-Djalalayn*, ofwel 'de Tafsir van de twee Djalals'. Het belang van de Djalalayn is enerzijds wat banaal; ze is namelijk de enige klassieke volledige tafsir die in een enkele handzame boekband beschikbaar is. Andere tafsirs nemen vaak een halve tot een hele meter boekenplank in beslag. Maar anderzijds is de Djalalayn ook inhoudelijk van een tijdloze populariteit. Juist doordat de Djalalayn een handzame bundel is, bevat hij slechts de meest noodzakelijke duiding van de Korantekst. Laten we bijvoorbeeld de eerste twee verzen van de tweede soera bekijken. Zoals ook het geval is in moderne edities van de Djalalayn, staat de eigenlijke Korantekst tussen sierlijke haken om het onderscheid tussen Koran en duiding helder te houden:

> 1. {A, L, M} alleen God weet wat Zijn bedoeling hiermee is. 2. {Dat} dat wil zeggen 'dit' {[is] het Boek} dat Mohammed reciteert {geen twijfel} geen onzekerheid {[is] eraan} dat het bij God vandaan komt, de ontkenning is het predicaat van 'dat', het aanwijzend voornaamwoord dient ter glorificatie. {een leidraad} een tweede predicaat, dat wil zeggen: het geeft leiding {voor de godvrezenden} degenen die tot godsvrees neigen door het navolgen van de geboden en het vermijden van de verboden, opdat zij daarmee het vuur van zich afhouden.

Er is ook wel beweerd dat Suyuti's commentaar mikte op een wat breder publiek dan alleen de klasse der religieuze geleerden. Dat alles maakt de Djalalayn tot een gewaardeerde en relatief toegankelijke tafsir. Aanzienlijk zwaardere kost is *De illuminaties der openbaring & de mysteriën der interpretatie* van Baydawi (gest. 1315), die tot de dag van vandaag gedoceerd wordt op de Egyptische Azhar Universiteit, een van de van oudsher gerespecteerde kenniscentra van de soennitische islam. Opmerkelijk is dat Baydawi heeft gewerkt vanuit een eerdere, onorthodoxe tafsir, namelijk 'De Ontsluierende' van de mu'taziliet al-Zamakhshari (gest. 1144). Dit was niet omdat Baydawi gecharmeerd was van Zamakhshari's rationalistische opvatting, maar meer omdat 'De Ontsluierende' een grondige grammaticale basis had. Diens rationalistische of mu'tazilitische insteek heeft Baydawi er zoveel mogelijk uitgefilterd.

De klassieke tafsirliteratuur is van een immense omvang. Ze is ook van een hoge moeilijkheidsgraad, omdat ze in klassiek Arabisch is gesteld en dikwijls technische kwesties in groot detail behandelt. In de hedendaagse wereld heeft deze literatuur gestaag aan invloed en gezag ingeboet. Dat heeft verschillende redenen. Niet alleen is het klassieke islamitische onderwijs, dat de institutionele omgeving voor de tafsirliteratuur vormde, in veel landen vervangen door moderne, op westerse modellen gestoelde scholen en universiteiten; ook hebben in de twintigste eeuw steeds meer auteurs zonder klassieke religieuze opleiding geprobeerd om de Koran te duiden voor de wereld van nu. Enkele van de meest invloedrijke Korancommentaren van de twintigste eeuw, zoals die van de Egyptenaar Sayyid Qutb (1906-1966) en de Pakistaan Abu al-'Ala al-Mawdudi (1903-1979), zijn het werk van leken (zie ook hoofdstuk 10).

Abrogatie (*naskh*)

Een uitkomst voor de Korangeleerde en een handicap voor de leek is de zogenaamde 'abrogatieleer'. Zelfs heel duidelijk sprekende Koranverzen zijn soms niet wat ze lijken. De Koran is of lijkt op verschillende plaatsen met zichzelf in tegenspraak, en islamitische geleerden namen de taak op zich om die tegenspraken glad te strijken, vooral wanneer de Koran werd gehanteerd als bron voor het wetsysteem, was men niet gediend van tegenstrijdigheden. De exegetische strijkbout die de Korangeleerden zijn gaan hanteren wordt abrogatie (*naskh*) genoemd, ofwel 'afschaffing'. Een basisprincipe van de afschaffingsleer is dat bij eventuele conflicterende verzen het laatst geopenbaarde vers het eerder geopenbaarde vers vervangt. Een voorbeeld is vers 2:240, waarin de weduwe het recht op een jaar levensonderhoud wordt toegekend, terwijl 2:234 spreekt van een zogenaamde wachtperiode (de periode waarin de weduwe niet mag hertrouwen) van vier maanden en tien dagen. Om redenen die hier niet ter zake doen werden deze twee verzen hopeloos met elkaar in conflict geacht, met als eindresultaat dat de meerderheid van de Korangeleerden ervan is uitgegaan dat het voorschrift uit 2:240 is afgeschaft door 2:234.

Bovenstaand voorbeeld is nog vrij eenvoudig. Meer uitvoerige studie van afschaffingstheorieën laat zien dat het ook mogelijk is dat niet alleen het voorschrift is komen te vervallen, maar dat ook de tekst zelf uit de Koran is verdwenen. Uiteraard is dat een potentieel pijnlijk onderwerp, omdat dit kan leiden tot twijfels over de volmaaktheid en volledigheid van de Koran. Een overlevering maakt duidelijk dat we ons hierover geen zorgen hoeven te maken.

> De profeet instrueerde Abdallah ibn Mas'ud in het reciteren van een deel van de openbaring, dat Abdallah uit zijn hoofd leerde en in zijn eigen Koranschrift (*mushaf*) noteerde. In de nacht merkte Abdallah dat hij zich een bepaalde passage eruit, die hij tijdens zijn gebed had willen opzeggen, niet meer kon herinneren. De volgende ochtend wendde hij zich tot zijn schrift en zag slechts een lege pagina! Hij informeerde de profeet hierover en Mohammed antwoordde, 'die passage is de afgelopen nacht teruggetrokken'. (John Burton, *The Sources of Islamic Law. Islamic Theories of Abrogation*, 1990, p. 45)

Met andere woorden, het is God zelf die bepaalde Koranpassages heeft doen vergeten en zelfs fysiek heeft doen verdwijnen. Koranische bewijsplaatsen die voor dit deel van de afschaffingstheorie worden aangedragen zijn 16:10 en vooral 12:106, die luidt: 'Welk teken Wij ook afschaffen of doen vergeten, Wij komen met iets beters of overeenkomstigs.' Deze verschijningsvorm van de abrogatie maakt voor de hedendaagse lezer niet veel uit: wat er niet meer is kan ook niet voor verwarring zorgen. Nog weer andere vormen van abrogatie zijn bijvoorbeeld de vorm waarbij de Koranpassage als tekst is weggenomen, terwijl het voorschrift dat erin vervat was, is blijven gelden (zoals misschien het geval is met het 'Stenigingsvers', zie volgend hoofdstuk) of abrogatie van een voorschrift uit de Koran door een voorschrift uit een overlevering. De afschaffingstheorieën zijn niet onomstreden en dat is niet zonder reden. In voorkomende gevallen zijn Koranpassages middels abrogatie buiten werking gesteld zodat bestaande wetspraktijken konden worden gelegitimeerd. Ook het feit dat er geen overeenstemming is over de precieze volgorde waarin de Koranverzen zijn geopenbaard, maakt de afschaffingsleer, die gebaseerd is op de regel dat het later geopenbaarde vers het eerder geopenbaarde tenietdoet, tot een dubieus instrument.

Geloofwaardig of niet, de afschaffingsleer bestaat en kan een extra complicatie betekenen voor wie de Koran zelfstandig gaat bestuderen. Het Koranvers 2:62 zegt bijvoorbeeld 'Zij die geloven, zij die het jodendom aanhangen, de christenen en de Sabeeërs die in God en de laatste dag geloven en die deugdelijk handelen, voor hen is hun loon bij hun Heer en zij hebben niets te vrezen noch zullen zij bedroefd zijn.' Dat is een prettige boodschap. In het christendom heeft het heel wat langer geduurd voordat zulke verzoenende en tolerante woorden over joden te horen vielen. Pas in de jaren zestig van de vorige eeuw verkondigde de rooms-katholieke kerk voor het eerst de leerstelling dat er naast de universele moederkerk ook nog andere wegen tot het koninkrijk der hemelen openstonden. Wie echter wil gaan beweren dat de islam dertien eeuwen op het katholicisme vooruitloopt, kan terechtgewezen worden door minder progressieve moslims of door islamcritici, die dan verwijzen naar het latere en volgens hen dus abrogerende vers 3:85, waarin we lezen 'Wie iets anders dan de islam als godsdienst wenst, van hem zal het dan niet worden aanvaard. Hij behoort in het hiernamaals tot de verliezers.'

Waar de klassieke geleerden dachten dat een specifiek Koranvers door een ander was geabrogeerd, is dat meestal niet ten gunste van een progressief-liberale lezing van de Koran. Talrijke aansporingen om de niet-moslimse naaste goedmoedig en vreedzaam tegemoet te treden, zouden door enkele krijgszuchtige verzen buiten werking gesteld worden. De meest beruchte van die laatste verzen is het hierboven al besproken zwaardvers.

In de klassieke islamitische periode was het natuurlijk noodzakelijk dat de autoriteiten een beroep op de Koran konden doen wanneer zij het tijd vonden om een naburig niet-moslimgebied militair aan te vallen. De islamitische wet staat de gezagsdrager hier ten dienste met de bepaling dat het de plicht van de islamitische leider is om het gezagsgebied van de islam uit te breiden. Dit is de historische context waarin deskundigen op het gebied van de abrogatietheorie een literatuur hebben voortgebracht waarmee Koranische bezwaren tegen wapengekletter kunnen worden gepareerd. In onze tijd zijn het vooral ondergrondse groeperingen als al-Qaeda en zielsverwanten die zich van deze ontsnappingsroute bedienen. De gemiddelde moslim, zeker in een pluralistisch land als Nederland, heeft in het dagelijks leven natuurlijk meer aan verzen die aansporen tot vreedzame dialoog en duldzaam samenleven, voor zover hij of zij zich überhaupt rechtstreeks in gedrag door de Koran laat leiden. Individuele moslims, maar ook imams en islamitische prominenten, kunnen dan verwijzen naar bijvoorbeeld 29:46: '...Wij geloven in wat naar ons is neergezonden en in wat naar jullie is neergezonden. Onze God en jullie God, is één. En wij geven ons over aan Hem', of in tijden van anti-islamitisch hoogtij kan 6:68 een toevlucht zijn: 'Wanneer jij hen ziet die Onze tekenen bespotten, wend je dan van hen af totdat zij op een ander gesprek overgaan...'. Alleen diegenen die menen dat dit niet de juiste handelwijze is, verwerpen deze raad met een verwijzing naar bepaalde abrogatieliteratuur of ze zoeken zelf naar een vers dat het naar hun mening abrogeert. Door de horizontale gezagsstructuur van religieuze autoriteit in de islam (of negatief gesteld: de afwezigheid van een universeel erkend oppergezag) is er geen unanimiteit over de toepasbaarheid van abrogatie, laat staan een alom erkende lijst van abrogerende en geabrogeerde verzen.

Asbab al-nuzul (redenen van openbaring)

Het valt op dat de abrogatieliteratuur nogal eens verzuimt de context van bepaalde verzen in ogenschouw te nemen. Een ander aspect van de Koranduiding is er juist op gericht zo veel mogelijk van die context te achterhalen. Dat aspect is de studie van de zogenaamde *asbab al-nuzul*, of 'de gelegenheden der openbaring' (ook: 'de redenen voor openbaring'). Al de vroegste Koraninterpretaties verschaften nu en dan bij een bepaald vers (of versgroep of soera) informatie over de specifieke situatie waarin dat vers werd geopenbaard. Zo is daar bijvoorbeeld soera 108 (de Overvloed): 'Wij waren het die jou de overvloed gaven! Bid dan tot jouw heer en breng offers. Jouw hater, hij is de man zonder nageslacht'. Het probleem met deze soera zit om te beginnen in twee woorden die wat ongebruikelijk zijn. Het woord *Kawthar* is hier met 'overvloed' vertaald, maar dat is zo twijfelachtig dat andere Koranvertalingen het woord wel eens onvertaald laten. Belangrijker voor de rest van deze uiteenzetting is het woord *al-abtar*. Dit woord duidt op een man die geen mannelijk nageslacht heeft. De implicatie daarvan is dat zijn bestaan als een nachtkaars zal uitgaan. De overlevering vertelt – in twee versies – het volgende over de gelegenheid waarbij de Overvloed werd geopenbaard:

Van Ibn Abbas is overgeleverd:

> Deze soera werd geopenbaard betreffende al-As ibn Wa'il. Hij kwam de Boodschapper Gods tegen bij het binnengaan van de Heilige Plaats, terwijl de Profeet er juist weg ging. Zij ontmoeten elkaar bij de Banu Sahm Poort en begonnen met elkander te praten, terwijl de leiders van Quraysh binnen waren. Toen al-As naar binnen ging, vroegen zij hem: 'Met wie stond je te praten?' Hij zei: 'Ik sprak met die nageslachtloze', bedoelende de Boodschapper Gods. De Profeet had Abdallah verloren, zijn zoon bij Khadidja. Hierop openbaarde God deze soera. (...)

Van Yazid ibn Ruman is overgeleverd:

> Telkens wanneer de Boodschapper Gods genoemd werd, was al-As ibn Wa'il gewoon om te zeggen 'Laat hem toch, hij is maar een man zonder nageslacht, hij heeft geen nakomelingen: als hij doodgaat, dan noemt niemand hem nog en dan ben je van hem af'. En daarom openbaarde God [deze] soera. (Asbâb al-nuzûl, al-Wâhidî)

De context die we via deze overleveringen aangereikt krijgen stelt ons niet alleen in staat de term al-abtar beter te begrijpen, ze geeft ook helderheid over wie er wordt bedoeld met 'jouw hater': hij die Mohammed kwetste en kleineerde zal voor de latere generaties de onnozelaar blijken, terwijl voor Mohammed juist een roemrijk *Nachleben* weggelegd is (zij het in spirituele zin: ook latere zonen van Mohammed stierven in de vroege kindertijd).

Bovenstaande overleveringen zijn afkomstig uit een bundel van overleveringen met dit contextualiserende thema, getiteld *Het boek over de gelegenheden der Openbaring* van al-Wahidi (gest. 1075). Zoals gezegd namen vroege Korancommentaren soms overleveringsmateriaal op dat iets zei over de omstandigheid waarin een vers neerdaalde, maar al-Wahidi's collectie is het eerste werk dat volledig gewijd is aan deze openbaringsgelegenheden en zo gezegd het eerste boek in zijn genre. Al-Wahidi's speurwerk leidde tot een bundel waarin historische context wordt verschaft aan Koranverzen uit 85 verschillende soera's. Voor meer dan een kwart van de gehele Koran heeft al-Wahidi geen informatie over de omstandigheden waarin ze tot stand kwam. Ook latere Koranvorsers die zich met de asbab al-nuzul bezig hielden moesten ten aanzien van bepaalde Koranverzen het antwoord op de context schuldig blijven of konden het niet eens worden over welke overlevering ten aanzien van dit onderwerp te verkiezen was.

De kwestie van de asbab al-nuzul raakt uiteraard aan dogmatische opvattingen over het wezen van de Koran en de wijze waarop hij tot stand is gebracht. De Koran laat in 97:1 het volgende weten: 'Wij hebben hem neergezonden in de nacht van de beslissing.' De standaard-Koraninterpretaties gaan ervan uit dat hier met 'hem' de Koran wordt bedoeld en de genoemde nacht, *laylat al-qadr*, wordt traditioneel geïdentificeerd als een bepaalde nacht in de maand ramadan. Dat zou betekenen dat de Koran in één keer is neergedaald, wat niet overeenkomt met de overlevering, die het verhaal vertelt van een openbaringsperiode van ongeveer twintig jaar. Dat probleem werd opgelost door de leerstelling dat de Koran eerst van God werd neergezonden naar de laagste hemelsfeer (het bovenmaanse bestaat in deze voorstelling uit meerdere sferen), waarna hij in stukjes en beetjes aan Gabriël ter beschikking werd gesteld om aan Mohammed door te geven, al naar gelang het één of het ander opportuun was. Deze wat gekunsteld aandoende oplossing dient niet alleen om de idee van de bloksgewijze neerdaling met die van de deelsgewijze openbaring te verenigen. Ze is ook van belang omdat aandacht voor de historische context van de openbaringsgeschiedenis de vraag oproept hoe het toch kan dat de Koran ongeschapen is, terwijl ze een tekst vormt die uitvoerig reageert op concrete problemen in Mekka en Medina gedurende de periode 610 tot 632. Hoe kan een tekst die er altijd al was en er tot in eeuwigheid zal zijn, of die tijdloos bij God zelf is, antwoord geven op zulke specifieke problemen als een roddel over Mohammeds vrouw Aisha (24:11-17) of de treiterijen van Abu Lahab (soera 111)? De idee van de twee openbaringsstadia lijkt een poging te zijn het vers over de bloksgewijze neerdaling van de ongeschapen waarheid te verenigen met de kennis van de deelsgewijze, historische openbaring. Daarmee wordt bovenstaande vraag niet beantwoord, maar wel wordt er het theologische dogma van de ongeschapen Koran mee bestendigd.

7 Wetten en straffen in de Koran

Geen wetboek

Een groot en geliefd misverstand over de Koran is dat hij gezien moet worden als een soort wetboek. Dat is een van de verrassend vele misvattingen die radicale moslims en anti-islamieten met elkaar delen. Uit de voorgaande hoofdstukken heeft de lezer waarschijnlijk al opgemaakt dat de Koran een wel heel onhandig wetboek zou zijn. De behoefte aan eenvoudige waarheden brengt bepaalde groepen moslims echter tot slogans als 'de Koran is onze grondwet' en tot overtuigingen als zou de Koran klip-en-klare recepten bevatten voor effectief openbaar bestuur, corruptiebestrijding, tegengaan van economische recessies, milieuvervuiling, of wat dan ook. Die wat simplistische (en vaak: populistische) stelling klapt bij toetsing al snel in elkaar. Ze is ook volstrekt onverenigbaar met de plaats van de Koran in de islamitische geschiedenis en de islamitische geloofsleer. De islam voorziet weliswaar in een in theorie allesomvattend systeem van regels en wetten (de sharia), maar dat systeem staat niet gelijk aan de Koran en is zelfs niet hoofdzakelijk gebaseerd op de Koran.

Klassieke geleerden telden vijfhonderd Koranverzen met een min of meer juridische inhoud. Dat is minder dan een tiende van het totale aantal verzen, en omvat ook allerlei verzen die de moderne lezer niet zou herkennen als juridisch relevant, zoals gebedsvoorschriften en bepaalde vroomheidsrituelen. Als we dergelijke verzen niet meetellen komen we op zo'n tachtig concreet juridische verzen. Dat er maar zo weinig concrete wetten in de Koran staan wordt verklaard door het feit dat de vroege islam voor een groot deel het bestaande recht onaangetast liet. De juridische verzen zijn door de Amsterdamse islamoloog en jurist Ruud Peters wel omschreven als 'amendementen op het gewoonterecht'. Die amendementen treffen we vooral aan op de gebieden erfrecht, huwelijksrecht en strafrecht. Het grootste deel van de religieuze rechtsregels in de islam is echter niet gebaseerd op Koranpassages, maar op tradities of overleveringen, die vertellen wat Mohammed in een bepaalde situatie heeft gedaan of gezegd (de Koranverzen uiteraard uitgezonderd). Die tradities werden pas echt belangrijk in de negende eeuw, toen een theologische strijd werd beslecht in het voordeel van de groepering die deze tradities zag als gezaghebbende bron voor het formuleren van de sharia (zie hoofdstuk 5 voor meer details over deze strijd). Het was dan ook in de negende eeuw dat de belangrijkste verzamelbundels van tradities werden aangelegd, zoals de *Sahih* van Bukhari en het gelijknamige werk van Muslim. De meeste regels van het islamitisch recht gaan terug op zo'n overlevering of beter nog: op meerdere overleveringen.

'Koranische straffen'

Bij het woord sharia wordt al snel gedacht aan bepaalde lijfstraffen. Deze zogenaamde *hudud*-straffen hebben zelfs een soort symboolfunctie gekregen, zowel onder liberaal-democratische tegenstanders van religieus recht als onder radicaalislamitische voorstanders ervan. Enerzijds is de afgehakte hand een symbool voor de fundamentele onverenigbaarheid van het islamitisch recht met progressief-liberale waarden, anderzijds staat dezelfde afgehakte hand symbool voor de radicaliteit waarmee een islamitisch bewind zich ergens manifesteert. De lijfstraffen zijn uitgegroeid tot een lakmoesproef voor elke zichzelf respecterende radicaalislamitische beweging. In het overgrote deel van de islamitische wereld zijn lijfstraffen echter geen onderdeel van het strafrecht; dat werd in de negentiende eeuw vrijwel overal hervormd aan de hand van Europese modellen. Gezien de prominentie van lijfstraffen in discussies over de islam, is het echter wel goed om uiteen te zetten in hoeverre deze straffen, vaak Koranische straffen genoemd, nu wel en niet met de Koran van doen hebben.

Bij de zogenaamde Koranische straffen moeten we constateren dat het al bij de benaming misgaat. De zogenaamde hudud ofwel 'begrenzingen' (enkelvoud: *hadd*) worden wel in de Koran genoemd, maar in niet alle gevallen is in de sharia de straf opgenomen die in de Koran genoemd wordt, en in een paar gevallen zegt de Koran überhaupt niets over een straf. Het gaat hier om de volgende vijf vergrijpen met hun bijbehorende straffen.

1 Het afhakken van de rechterhand als bestraffing van diefstal. In 5:38 lezen we een duidelijke instructie voor deze regel: 'En de dief en de dievegge, houwt hun de hand af ter vergelding voor wat zij begaan hebben, als een afschrikwekkend voorbeeld van God...' De klassieke rechtsgeleerden hebben er echter veel aan gedaan om deze straf alleen in uiterste gevallen te hoeven toepassen. Het gestolene moet bijvoorbeeld van aanzienlijke waarde zijn en van een goed afgesloten plaats zijn weggenomen. Dergelijke voorwaarden zijn geboren uit de wens om de rechter de ruimte te geven milder te zijn dan op het eerste gezicht door de Koran wordt voorgeschreven. Diverse hedendaagse radicale bewegingen negeren dergelijke voorwaarden in hun streven naar harde maatregelen.

2 Tachtig geselslagen zijn vastgesteld voor degene die alcohol drinkt. Deze strafmaatregel is echter gebaseerd op de tradities. De Koran laat ten aanzien van alcoholgebruik een breed scala aan opvattingen zien. Op basis van 16:67 kunnen we onbekommerd ons voordeel doen met een glaasje wijn. In 2:219 worden we gewaarschuwd dat er ook nadelen aan de drank zitten. In 4:43 wordt het de gelovigen verboden om zich in beschonken toestand in de moskee te begeven. Ten slotte is het pas in 5:90-91 dat een verbod wordt uitgesproken. Maar van een bestraffing is hier geen sprake. Overigens geldt ook hier dat de klassieke rechtsleer pas bij verzwarende omstandigheden de hadd-straf van toepassing acht: er moet bij voorkeur sprake zijn van openbare dronkenschap. Alcoholgebruik in de privésfeer zou normaal gesproken niet onder deze regel moeten vallen. Wat we hier dus zien is dat de klassieke rechtsleer enerzijds een zware straf formuleert (die niet direct op de Koran teruggevoerd kan worden) en anderzijds uitwegen biedt om onder de uitvoering van die straf uit te kunnen komen.

3 Degenen die ongeoorloofde geslachtsgemeenschap hebben, worden door de Koran honderd zweepslagen in het vooruitzicht gesteld (24:2). Hier is echter ook iets vreemds aan de hand, aangezien men ook met steniging te maken kan krijgen. Die wordt weliswaar nergens door de Koran voorgeschreven, maar er zijn

wel enkele tradities die daartoe aanleiding geven. Kort na de dood van Mohammed lijkt er enige discussie te zijn geweest over de vraag of er toch niet een Koranvers was dat steniging voorschreef. Kalief Umar hield bij hoog en bij laag vol dat het zogenaamde Stenigingsvers in de Koran hoorde ('...wanneer een volwassen man of een volwassen vrouw overspel begaat, stenigt hen dan zekerlijk als bestraffing van God. God is machtig en wijs'). De uiteindelijke samenstellers van het Korancorpus dachten daar duidelijk anders over. Het kan ook zijn dat we hier te maken hebben met het fenomeen waarbij God een vers terugneemt: een overlevering vertelt dat Mohammeds vrouw Aisha op een dag haar woning inliep en daar een geit zag, die juist een stukje perkament opat. Sommigen beweren dat het Stenigingsvers op die manier door God is weggenomen (zie tevens hoofdstuk 6 onder Abrogatie). Overigens is de discrepantie tussen het Koranische voorschrift en het voorschrift uit de traditieliteratuur opgelost door de zweepslagen van toepassing te verklaren op ongetrouwde ontuchtigen, en de steniging te reserveren voor overspeligen (mensen die getrouwd zijn of zijn geweest), van wie blijkbaar meer verantwoordelijkheid verwacht mag worden. Ten slotte geldt ook hier dat de straf pas mag worden toegemeten als er voldaan is aan een aantal voorwaarden, dat vooral de bewijslast betreft. Zo moeten er vier mannelijke getuigen zijn van onbesproken gedrag, die allemaal de daadwerkelijke penetratie aanschouwd hebben.

4 Eveneens tachtig geselslagen zijn het lot van diegene die ten onrechte iemand beschuldigt van ontucht of overspel. Dit is een hadd-straf die onomwonden uit de Koran komt: 'Zij die eerbaar getrouwde vrouwen beschuldigen en dan niet met vier getuigen komen, geselt hen met tachtig geselslagen...' (24:4). De betreffende passage wordt in verband gebracht met de episode waarbij over Mohammeds vrouw Aisha lasterpraat werd verteld. In theorie is er dus een zeer grote kans dat iemand die een ontucht- of overspelbeschuldiging doet, hiervoor wordt gestraft: als de beschuldiging niet kan worden bewezen, dan wordt hij geacht onterecht te zijn. Zoals hierboven beschreven is het juist volgens

de strikte regels van het klassieke recht haast onmogelijk om het bewijs rond te krijgen.

5 Voor roof ten slotte gelden straffen variërend van kruislingse amputatie (rechterhand en linkervoet) tot kruisiging, afhankelijk van de vraag of de roof met (dodelijk) geweld gepaard ging. Het verschil tussen diefstal en roof is erin gelegen dat roof in deze betekenis geacht wordt plaats te vinden buiten het woongebied van een gemeenschap, namelijk op een handelsroute. Het gevolg hiervan is dat mensen het niet langer aandurven te reizen of karavanen op pad te sturen, waarmee de toevoerlijnen van de levensbehoeften van de gemeenschap in feite zijn doorgesneden. Voor deze hadd-straf zijn we volledig aangewezen op de tradities.

Uit alle mitsen en maren die een rechter zich volgens de klassieke rechtsleer moet aantrekken voordat een van bovengenoemde bestraffingen moet worden uitgevoerd, blijkt grote terughoudendheid ten aanzien van de hudud. De islamitische juridische leerboeken zijn daar ook heel duidelijk over; zo wordt het (onder voorwaarden) zelfs aanbevolen om te liegen als daarmee de uitvoering van een hadd-straf kan worden voorkomen. Hoe bestaat het dan dat we toch regelmatig horen van een (voorgenomen) steniging in Nigeria, Somalië of Iran? In veel van deze gevallen gaat het om een combinatie van vroomheidsdrift en een gebrek aan kennis. Ook kan, zoals reeds gezegd, de wens meespelen om een duidelijke breuk te forceren met internationale normen op het gebied van mensenrechten. Uiteindelijk maakt het voor het slachtoffer van de geseling of de steniging niet uit of de straf nu uit de Koran komt of niet, en of de bestraffing nu formeel correct is of dat de regels met voeten zijn getreden. Maar op deze plaats zal op zijn minst duidelijk zijn dat van 'Koranische straffen' eigenlijk nauwelijks gesproken kan worden.

Dat de Koran niet echt als een wetboek kan worden beschouwd, zal nu duidelijk zijn. Nog misleidender is het om de islam als een politieke doctrine voor te stellen, met de Koran als politiek pamflet. Er staan in de Korantekst juist opvallend weinig concrete uitspraken over heerschappij en bestuur, of over publiek- en staatsrecht. Het zou tot in de twintigste eeuw duren voor de islamitische religie zou worden omgevormd tot een politieke ideologie. Dat was vooral het werk van leken als Abu al-A'la al-Mawdudi en Sayyid Qutb (zie hoofdstuk 10).

8 Mannen, vrouwen en seksualiteit in de Koran

Net zoals in de meeste grote religies neemt in de islam de verhouding tussen mannen en vrouwen een belangrijke plaats in. Kwesties van moraliteit komen deels tot uitdrukking in vragen over toegestane en verboden vormen van seksueel gedrag. Volgens een wijdverbreide opinie scoort de Koran op dit gebied uitzonderlijk slecht: hij zou een door en door vrouwonvriendelijk boek zijn, dat vrouwen zoveel mogelijk binnenshuis wil houden en verplicht om buitenshuis een hoofddoek of zelfs een boerka te dragen, dat mannelijke onderdrukking van en geweld tegen vrouwen zou aanmoedigen, enzovoort. Maar wanneer je nagaat wat er nu wel en wat er niet in de Koran zelf staat ten aanzien van vrouwen, blijkt dat het aantal concrete voorschriften nogal beperkt is en vaak weinig nauwkeurig. Hier geldt hetzelfde als ten aanzien van sommige wetten en bestraffingen: veel van wat gerechtvaardigd wordt als zuiver islamitisch of afkomstig uit de Koran, vindt in werkelijkheid zijn oorsprong in de hadith (de tradities van de profeet) of in lokale gewoontes. Hedendaagse praktijken die wijdverbreid zijn in delen van de islamitische wereld en daarbuiten, zoals vrouwenbesnijdenis en eerwraak, staan niet in de Koran en worden er ook niet door aangemoedigd of gerechtvaardigd.

Vrouwen

Wat staat er dan wel precies over vrouwen in de Koran? Meermaals wordt vermeld dat God de mensheid in paren van man en vrouw geschapen heeft (4:1 e.a.); elders staat dat gelovige mannen en vrouwen dezelfde rechten en plichten hebben en dat ze dezelfde beloning in het paradijs zullen ontvangen (m.n. 33:35) – even afgezien van de beroemde paradijsmaagden. Je kunt dus met enig recht zeggen dat de Koran man en vrouw in religieus opzicht vrijwel aan elkaar gelijkstelt. In juridisch opzicht daarentegen zijn er duidelijke verschillen. Die betreffen met name drie punten: getuigenis, erfrecht en scheiding.

Vers 2:282 impliceert dat de getuigenis van één man evenveel waard is als de getuigenis van twee vrouwen; in 4:11 en 4:176 staat dat mannen bij een erfenis twee keer zoveel horen te krijgen als hun zusters; en passages als 2:226-233 en 65:4-6 geven mannen en vrouwen ongelijke rechten ten aanzien van echtscheiding. Ook polygamie met maximaal vier vrouwen wordt in de Koran toegestaan (4:3), terwijl van polyandrie nergens gewag wordt gemaakt. Deze ongelijkheid valt deels, maar niet volledig, te verklaren uit de economische afhankelijkheid van vrouwen in die tijd: omdat mannen geacht werden behalve voor zichzelf ook de zorg voor hun vrouwen te dragen, konden ze ook aanspraak maken op een dubbele portie van erfenissen. Maar deze verklaring rijmt niet met passages als 4:32, waarin vrouwen in gelijke mate aanspraak op eigen bezit kunnen maken als mannen, of met 3:195, waarin het werk dat vrouwen doen positief wordt gewaardeerd: 'Ik laat het werk van iemand van jullie die [goed] doet niet verloren gaan, of het nu een man is of een vrouw.'

Historisch gezien waren deze regelingen ongetwijfeld een verbetering ten opzichte van de positie van vrouwen in de Arabische samenleving van de vroege zevende eeuw, zoals verdedigers van deze verzen betogen; maar ze voldoen niet aan hedendaagse maatstaven van gelijkheid tussen mannen en vrouwen. Ze worden dan ook in toenemende mate door moslims ter discussie gesteld (zie hoofdstuk 10).

Als de voornaamste basis voor de rechtsongelijkheid van vrouwen wordt doorgaans vers 4:34 aangewezen, dat door de eeuwen heen is gelezen als een ondubbelzinnige verklaring dat gelijke rechten voor mannen en vrouwen in de islam uitgesloten zijn:

> De mannen zijn zaakwaarnemers voor de vrouwen, omdat God de een boven de ander heeft bevoorrecht en omdat zij van hun bezittingen uitgegeven hebben. De deugdzame vrouwen zijn dus onderdanig en zij waken over wat verborgen is, omdat God erover waakt.

Meteen erna volgt een van de ongetwijfeld beruchtste Koranpassages:

> Maar zij van wie jullie ongezeglijkheid vrezen, vermaant haar, laat haar alleen in de rustplaatsen en slaat haar.

Dat is niet mals. De Koran stelt hier vrouwen ondubbelzinnig voor als ondergeschikt aan hun echtgenoten en keurt zelfs 'huiselijk geweld' goed. De duiding van dit vers draait deels om de precieze betekenis van het woord *qawwamun*; dat wordt door Leemhuis als 'zaakwaarnemers' vertaald en door anderen als 'voogden' of 'opzichters'. Het vers dat aanbeveelt om voor ongehoorzaam gehouden vrouwen te slaan wordt dikwijls aangehaald als bewijs van de ongeneeslijke vrouwonvriendelijkheid van de islam; maar het is zeker niet het enige, of laatste, woord dat er in de Koran over omgang met echtgenotes staat. Andere verzen roepen mannen juist weer op om 'vriendelijk' met hun vrouwen om te gaan. Zo spreekt vers 4:19 zich uit tegen gedwongen huwelijken en algemener tegen de slechte behandeling van echtgenotes:

> Jullie die geloven! Het is jullie niet toegestaan vrouwen tegen haar wil te erven en houdt haar niet tegen om iets van wat jullie haar gegeven hebben mee te nemen, behalve als zij een overduidelijke gruweldaad hebben begaan. En gaat vriendelijk met haar om.

Een andere centrale kwestie ten aanzien van vrouwen is die van de hidjab, de hoofddoek, die vandaag de dag voor velen het meest zichtbare symbool is van de islam en de rol van de vrouw daarin. Een eerste passage verkondigt dat zowel mannen als vrouwen zich netjes moeten kleden:

> Zeg tot de gelovige mannen dat zij hun ogen neerslaan en hun schaamdelen kuis bedekt houden. En zeg tot de gelovige vrouwen dat zij hun ogen neerslaan en hun schaamdelen kuis bedekt houden en dat zij hun sieraad niet openlijk tonen, behalve wat gewoon al zichtbaar is. En zij moeten sluiers over hun boezem dragen. (24:30-31)

Over hoofddoeken of gezichtsbedekkende kleding lezen we hier echter niets. Het veelgelezen latere commentaar van Djalalayn maakt ervan dat vrouwen hun hoofden, halzen en borsten moeten bedekken, maar dat staat duidelijk niet in deze Koranpassage zelf. Meer in de richting van gezichtsbedekkende kleding gaat het volgende vers:

> O profeet! Zeg tot jouw echtgenotes, jouw dochters en de vrouwen van de gelovigen iets van haar overkleding over zich heen naar beneden te laten hangen. Dat bevordert het best dat men haar herkent en niet lastigvalt. (33:59)

De Korantekst is hier uitgesproken vaag. Moslimjuristen hebben nog eeuwenlang getwist over de vraag welke delen van het vrouwelijke lichaam nu precies bedekt moeten worden. In de loop der tijden zijn de schriftgeleerden op dit punt steeds strenger geworden; maar hedendaagse pleitbezorgers van de niqab of boerka zullen in de Korantekst geen ondubbelzinnige rechtvaardiging vinden voor hun voorkeuren. Integendeel, er is een bekende hadith of traditie waarin de profeet een jongeman aanbeveelt om zijn aanstaande bruid te aanschouwen. Dat veronderstelt natuurlijk dat hij haar gezicht kan zien en weerspreekt dus impliciet de latere wetgeving dat vrouwen gezichtsbedekkende kleding moeten dragen.

Vrouwelijke personages in de Koran

In de Koran komen meerdere vrouwelijke personages voor, maar alleen Marjam (Maria) wordt bij naam genoemd. Laten we deze figuren eens bekijken, om een beter idee te krijgen van het beeld dat in de Koran van vrouwen wordt geschetst. De eerste vrouw die in de Koran verschijnt is Adams vrouw Eva. Het Bijbelse verhaal van Adam en Eva en van hun verdrijving uit het paradijs wordt meermaals in de Koran verteld (2:30-37; 20:115-123; 7:11-25). Ze worden uit het paradijs verbannen omdat ze zich niet houden aan Gods verbod te eten van de boom van de onsterfelijkheid; maar hierbij krijgt Eva niet méér schuld toegewezen dan Adam.

De hierboven al genoemde Zulaykha, de vrouw van 'Potifar', is een toonbeeld van vastberaden vrouwelijke seksualiteit. Ze probeert Jozef te verleiden, maar toont uiteindelijk berouw over haar gedrag. Dat is niet zozeer een afschrikwekkend voorbeeld, maar veeleer stof voor dramatische en stichtelijke verhalen. In de latere traditie is dit verhaal dan ook met allerlei variaties opnieuw verteld, in zowel poëzie als beeldende kunst.

Weer een heel ander vrouwelijk personage in de Koran is de koningin van Sheba (27:22-40). De joodse koning Salomo roept deze heidense vorstin op om zich aan hem te onderwerpen; maar na enige onderhandelingen en na enkele trucs van Salomo onderwerpen beide heersers zich samen aan God. De koningin is hier dus vrijwel de gelijke van de mannelijke vorst; er wordt ook niet afkeurend gesproken over het feit dat een vrouw de macht heeft.

Een zeer positief beeld wordt gegeven van Jezus' moeder Maria, zoals hierboven al is vermeld. Volgens sommige commentatoren geldt Maria zelfs als een van de profeten, omdat ze een deel van de goddelijke openbaring heeft ontvangen. Andere schriftgeleerden betwisten deze visie echter, omdat elders in de Koran te lezen valt dat menstruerende vrouwen zwak, ziek en onrein zijn (zie m.n. 2:222), wat het in hun opvatting onmogelijk maakt dat ze ook als profeet kunnen gelden.

Maar de belangrijkste groep vrouwen in de Koran wordt ongetwijfeld gevormd door de echtgenotes van de profeet. Deze hebben in de moslimgemeenschap een bijzondere status en andere rechten en plichten dan andere vrouwen. Zo moeten ze binnenshuis blijven (33:33) en mogen anderen alleen tegen hen praten van achter een afscheiding (33:53). Anders dan andere weduwen mochten Mohammeds vrouwen na zijn dood ook niet hertrouwen. Toch zijn verscheidene latere islamitische praktijken ten aanzien van vrouwen in het algemeen gemodelleerd op de status en behandeling van Mohammeds echtgenotes. Een open vraag is in hoeverre de vrouwen van de profeet als model voor vrouwen vandaag moeten gelden. Islamitische feministen en conservatievere auteurs hebben uiteenlopende antwoorden op deze vraag gegeven. Er is bijvoorbeeld niets wat ertegen spreekt om de koningin van Sheba als model voor een vrouw met wereldse macht te presenteren. Nergens in de Koran wordt gezegd dat haar heerschappij schandelijk, onnatuurlijk, onwelvoeglijk of God onwelgevallig is, of dat ze het slechter doet dan mannelijke heersers.

Toegestane en verboden vormen van seks

Ondanks hun vergelijkbare monotheïstische uitgangspunten hebben islam en christendom sterk van elkaar afwijkende opvattingen over huwelijk en seksuele moraal. Anders dan in het christendom is er in de islamitische traditie ruime erkenning geweest van de geneugten van seksualiteit, in plaats van zich te concentreren op de conceptie of op zondigheid. De Koran is niet preuts of puriteins ten aanzien van seksueel genot; 2:187 suggereert dat de seksuele band er voor beide partners is: 'Zij zijn bekleding voor jullie en jullie zijn bekleding voor hen.' De islam staat ook afkeurend tegenover het celibaat: dat wordt beschouwd als onnatuurlijk en als een nodeloos zware belasting voor de mens.

De status van het huwelijk in beide religies verschilt ook sterk. In het katholieke christendom is het huwelijk een sacrament; in de islam is het een contract, dat ook ontbonden kan worden. In de negentiende eeuw was dit voor christelijke missionarissen een grond om uit te varen tegen wat zij beschouwden als het losbandige karakter van de islamitische religie, die naar hun mening mannen in staat stelde om naar believen van partner te wisselen.

Verboden seksuele gedragingen (daaronder vallen alle seksuele contacten tussen mensen die niet getrouwd zijn) worden in verschillende categorieën verdeeld. In de eerste plaats is daar 'ontucht' of 'overspel' (*zina*). De bestraffing daarvoor bestaat uit zweepslagen (24:2) of steniging, mits de daders flagrante delicto betrapt zijn door vier getuigen of bekennen. In merkwaardig contrast met dit verbod op overspel staat het expliciet toestaan van het zogeheten tijdelijke huwelijk of genotshuwelijk (*nikah al-mut'a*). Dat wordt volgens sjiitische schriftgeleerden gesanctioneerd door het volgende vers:

> Daarnaast is het jullie toegestaan er met jullie bezittingen in eerbaarheid en niet in ontucht naar te streven. Voor het genot dat jullie van haar ontvangen, geeft haar daarvoor haar loon; een verplichting is het. (4:24)

De status van het genotshuwelijk is echter omstreden. Kalief Umar heeft het genotshuwelijk verboden; volgens latere soennitische schriftgeleerden was het slechts toegestaan in de strijd, wanneer moslimmannen van hun echtgenotes verwijderd waren en bovendien was mut'a geabrogeerd door volgens hen latere verzen. Onder sjiitische rechtsgeleerden daarentegen overheerst de overtuiging dat het tijdelijke huwelijk een algemeen toegestane praktijk is. De leiders van de (sjiitische) Islamitische Republiek Iran hebben bij herhaling het tijdelijke huwelijk verdedigd als tegemoetkomend aan een natuurlijke behoefte bij mannen en vrouwen en als een praktische manier om te voldoen aan de behoeften van de talrijke Iraanse oorlogsweduwen. Hedendaagse tegenstanders daarentegen zien in het tijdelijke huwelijk slechts een gelegaliseerde vorm van prostitutie.

Homoseksualiteit

Een ander thema in de Koran dat vandaag veel discussie oproept is homoseksualiteit. Velen zien in de Koran een homofobe tekst, die aanbeveelt om homo's van de hoogste beschikbare torens te werpen. Ook hier is het echter van belang om de Korantekst te onderscheiden van de duidingen en toevoegingen die er in de loop van vele eeuwen mee vergroeid zijn. In het Bijbelse verhaal van Lot staat het aspect van de groepsverkrachting centraal, naast de schending van de wetten van de gastvrijheid, wanneer de inwoners van Sodom zich willen vergrijpen aan een mannelijke gast (vgl. Genesis 18:16-19:29). In de Koran krijgt het element van het verlangen naar seksueel verkeer tussen mannen meer nadruk dan de aspecten van verkrachting en gastvrijheid; zo zegt Lot hier tegen zijn volk: 'Zullen jullie een gruweldaad begaan die nog niemand van de wereldbewoners vóór jullie heeft begaan? Jullie komen vol begeerte tot mannen in plaats van tot vrouwen. Ja, jullie zijn overmatige mensen.' (7:80; vgl. 29:28-29).

Vervolgens straft God Lots stadgenoten met een regen. Impliciet klinkt in deze beschrijving door dat die regen uit stenen bestaat en dodelijk is. De 'gruweldaad' (*fahisha*) van seksueel verkeer tussen mannen vindt een echo in de gruweldaden waarvan in 4:15-16 gewag wordt gemaakt; maar daar is het niet duidelijk of het over homoseksueel verkeer tussen mannen – of vrouwen – gaat, of eerder over andere daden. Latere lezingen definiëren *liwat*, 'de zonde van Lut (i.e. Lot)', specifiek als anaal geslachtsverkeer tussen mannen. In de Koran zelf wordt dit vergrijp echter niet nauwkeurig omschreven; ook de bestraffing ervan door menselijke rechters wordt in het vage gelaten. Er wordt althans geen menselijke strafmaat voor vastgesteld. Pas later is de doodstraf als bestraffing voor homoseksueel verkeer vastgesteld.

Homoseksuele handelingen worden dus in de Koran duidelijk afgekeurd en in het latere recht streng bestraft. Homoseksuele en pederastische *verlangens* daarentegen, met name in de vorm van verliefdheid op baardeloze knapen, werden in de klassieke islamitische cultuur als een natuurlijk gegeven beschouwd. Mensen zitten nu eenmaal zo in elkaar dat ze soms verliefd worden op iemand van hetzelfde geslacht, zo werd geredeneerd; dat is dus niets om je morele zorgen over te maken. Veel dichters uit de klassieke islamitische literatuur, onder wie ook veel religieuze schriftgeleerden, hebben in hun poëzie openlijk de knapenliefde bezongen.

Het is niet uitgesloten dat ook de Korantekst zelf toespelingen op dergelijke praktijken bevat. Iedereen kent de verhalen over de hoeri's of maagden die islamitische martelaren in het hiernamaals worden beloofd; maar ook worden de gelovigen bij herhaling 'altijd jong blijvende jongelingen' (56:17; 76:19) of 'knapen' als 'goedbewaarde parels' (52:24) in het vooruitzicht gesteld; deze staan hun dan voor niet nader omschreven diensten ter beschikking. Dergelijke passages sluiten een homoseksuele lezing niet uit. Volgens sommige hedendaagse lezers maken ze het mogelijk om op basis van de Korantekst zelf tot een positiever waardering van homoseksualiteit te komen. Ook sommige rechtsgeleerden hebben wel gesuggereerd dat knapen, evenals wijn, op aarde verboden zijn maar toegestaan in het hiernamaals (zie onder 'Verder lezen': Nahas).

9 Bijzondere soera's en aya's

De Openende

> In de naam van God, de erbarmer, de barmhartige. Lof zij God, de heer der werelden, de erbarmer, de barmhartige, de heerser over de Dag des Oordeels. U dienen wij en U vragen wij om hulp. Leid ons op het juiste pad, het pad van diegenen aan wie U genade geschonken hebt, niet [het pad] van hen op wie U toornig bent, noch [het pad] van de dwalenden.

Geen soera wordt door zo veel moslims uit het hoofd gekend als de Openende (*al-Fatiha*). De moslim die al zijn dagelijkse gebeden (zowel de vijf verplichte als de optionele) vervult, bidt per etmaal minstens zeventien maal deze soera. Daarnaast is het de aangewezen soera om op te zeggen bij aanvang van bijzondere gelegenheden, ter bezegeling van zakelijke overeenkomsten, huwelijken of als schietgebed. Inhoudelijk bevat het een aantal kernelementen van de islamitische leer, zoals de aansporing God te dienen als opperste beschikker over dit leven en de dag des oordeels. De paden waarvoor de gelovige door God behoed wil worden, worden doorgaans geïdentificeerd als het joodse en het christelijke pad. De argumentatie voor deze visie hoeft niet ver gezocht te worden. De Koran spreekt, net als het Oude Testament, meermaals over joodse ongehoorzaamheid en de toorn Gods die daardoor wordt opgewekt ('op wie U toornig bent'). De christenen worden ettelijke malen in de Koran geschetst als mensen die vooral door verwarring gegrepen zijn ('de dwalenden'). Overigens is het opmerkelijk dat de klassieke interpreten de twee slotverzen zo eenstemmig op deze wijze duiden. De Nederlandse islamoloog Anton Wessels heeft erop gewezen dat het historisch gezien helemaal niet voor de hand ligt dat hier naar joden en christenen wordt verwezen. De Openende wordt doorgaans gerekend tot de vroegere Mekkaanse verzen, dus in een tijd waarin Mohammed zich richtte tot een heidens, polytheïstisch publiek. In deze fase ligt het niet voor de hand om een polemiek aan te gaan met joden en christenen, die er volgens de overlevering in Mekka überhaupt niet of nauwelijks waren. Dit probleem is eventueel op te lossen door de Openende dan toch maar in de Medinensische periode te plaatsen; maar evengoed kunnen we ervoor kiezen de klassieke interpretatie aan de kant te schuiven. De gemiddelde vrome gelovige zal zich niet capabel achten om hierin een keus te maken en zal waarschijnlijk überhaupt niet stilstaan bij de vraag wie er nu eigenlijk wordt bedoeld met 'op wie God toornig is' of 'de dwalenden'. Deze termen zijn van zichzelf natuurlijk ook al sprekend genoeg.

Afgezien van de inhoud van de soera, is vooral de vorm uitzonderlijk. Hoewel de Koran geacht wordt de directe rede van God te bevatten, is een zin als 'U aanbidden wij en U vragen wij om hulp' moeilijk voor te stellen als van Gods lippen afkomstig. De vorm van de Openende is die van een gebed dat de gelovige tot God richt. Bij andere gebedachtige Koranpassages wordt dit probleem opgelost door het woordje 'Zeg:...' dat aan de betreffende passage voorafgaat. De Openende ontbeert dit; menig vroege Korangeleerde was dan ook van mening dat de Openende geen onderdeel uitmaakte van de Koran. De enige serieuze concurrent van Uthmans canonieke Koranredactie, de Koran van Ibn Mas'ud, bevatte de Openende niet. Een gezaghebbende interpretatie van de historicus en Korangeleerde Tabari (838-923) lost het probleem van het sprekersperspectief op met een overlevering die verklaart dat de instructie 'Zeg:...' wel degelijk door God was gesproken, maar niet tot (dit deel van) de openbaring behoorde.

Een laatste bijzonderheid van deze soera betreft het gesprek met God dat via de soera tot stand gebracht zou worden. In een overlevering op naam van Mohammeds tijdgenoot Abu Hurayra lezen we dat Mohammed over de Openende zou hebben gezegd: 'Wanneer de gelovige zegt: "Lof zij God, de heer der werelden", dan zegt God: "Mijn dienaar looft mij." Wanneer hij zegt: "De erbarmer, de barmhartige", zegt Hij: "Mijn dienaar heeft mij geprezen." Wanneer hij zegt: "Heerser over de Dag des Oordeels", zegt Hij: "Mijn dienaar heeft mij verheerlijkt, voorzeker dit komt mij toe." Wanneer hij [de rest van de soera] opzegt, zegt Hij: "Voorzeker dit komt hem toe."' Dit idee van een dialoog met God kan bij de gelovige een gevoel van nabijheid tot God bewerkstelligen, terwijl tegelijkertijd de machtsverhouding onverstoord blijft: alles wat gezegd wordt is tenslotte het woord van God. Ook hier moet echter vermeld worden dat de meeste moslims zich niet van de overlevering over de goddelijke dialoog bewust zijn.

Het lichtvers

> God is het licht van de hemelen en de aarde. Zijn licht lijkt bijvoorbeeld op een nis met een lamp erin. De lamp staat in een glas. Het glas is zo schitterend als een stralende ster. Zij brandt [op olie] van een gezegende boom, een olijfboom – geen oostelijke en geen westelijke – waarvan de olie bijna [uit zichzelf] licht geeft, ook al heeft geen vuur haar aangeraakt; licht boven licht. God leidt tot Zijn licht wie Hij wil – God heeft vergelijkingen voor de mensen en God is alwetend. (24:35)

Onbegrijpelijk, maar toch mooi, was het oordeel van de inmiddels overleden arabist Jan Brugman. De meeste islamitische commentatoren hebben het bij die constatering niet willen laten. De notie van licht heeft een brede aantrekkingskracht op theologen en filosofen, juist doordat licht enerzijds onbetwijfelbaar bestaat en anderzijds ongrijpbaar en onstoffelijk is. Dat maakt het tot een zeer geschikte metafoor voor God. Wat er in dit vers precies wordt bedoeld is dan ook onderwerp van voortdurende gissing.

De Koran zelf is geen mystieke tekst. Op basis ervan heeft zich echter in de islamitische wereld een omvangrijke mystieke traditie ontwikkeld, het zogenaamde soefisme. Vooral het lichtvers wordt veel in deze mystiek-islamitische kringen gebruikt. Het mystieke discours van de islam gaat ervan uit dat de mens door individuele vroomheid en meditatie God kan ontmoeten in een buitenstoffelijke ervaring waarbij het licht van zijn diepste wezen met het licht van God samensmelt, of beter, tijdelijk terugkeert tot zijn bron. Bepaalde mystieke beeldspraak vergelijkt de door zondigheid bezwaarde ziel met een bevuild raam, waardoor het licht (dat wil zeggen God) niet kan schijnen. De inspanningen van de mysticus zijn erop gericht het raam te reinigen, opdat het licht van Schepper en schepping met elkaar verenigd kunnen worden.

Een invloedrijke duiding van het lichtvers is door de beroemde middeleeuwse moslimdenker Abu Hamid al-Ghazali (gest. 1111) gegeven in de korte *Mishkat al-anwar* ('De nis van lichten'). Volgens al-Ghazali corresponderen de diverse elementen van het in dit vers uitgedrukte beeld met de verschillende aspecten van het menselijke kenvermogen. Zo staat de nis voor de zintuigen, die als een soort poorten het menselijke lichaam verbinden met de buitenwereld; het glas staat voor de verbeelding, oftewel het vermogen van de ziel dat redelijke kennis mogelijk maakt. De lamp staat voor de menselijke rede en de olijfboom voor het denkvermogen van de ziel, dat zich in argumenten vertakt en vrucht kan dragen. De olie, ten slotte, verbeeldt het hoogste vermogen van de menselijke ziel, de gave van de profetie: die kan immers oplichten zonder instructie of onderwijs van buitenaf. Deze lezing zal op hedendaagse lezers ongetwijfeld vergezocht of zelfs geforceerd overkomen; maar ze sluit nauw aan op de discussies die in de klassieke islamitische filosofie over de verschillende bronnen van menselijke kennis werden gevoerd.

'De twee beschermenden'

De laatste twee soera's van de Koran waren net als de eerste soera niet opgenomen in de Koranversie van Ibn Mas'ud. Ook hier was het argument om ze buiten te sluiten niet van inhoudelijke maar van vormtechnische aard. Met andere woorden, de boodschap die de twee soera's brengen werd wel geaccepteerd, maar ze werden niet geacht tot de openbaring te behoren. De Ochtendschemering en de Mensen, zoals de laatste twee soera's heten, hebben inderdaad een vorm zoals je die ook in buiten-Koranische gebeden (*du'a*) aantreft:

De Ochtendschemering

...Zeg: 'Ik zoek bescherming bij de Heer van de ochtendschemering. Tegen het kwaad dat Hij geschapen heeft en tegen het kwaad van de donkere nacht wanneer hij aanbreekt en tegen het kwaad van haar die op de knopen blazen en tegen het kwaad van een jaloerse wanneer hij jaloers is.'

> ...Zeg: 'Ik zoek bescherming bij de Heer van de mensen, de Koning van de mensen, de God van de mensen, tegen het kwaad van de stiekeme influisteraar die de mensen in hun binnenste influistert, of hij nu tot de djinn of tot de mensen behoort.'

De populariteit van deze twee soera's heeft alles te maken met hun beider verwijzing naar afwering van het kwaad en het ongeluk. Met 'haar die op de knopen blazen' wordt verwezen naar magiebedrijfsters. Knopen golden al sinds oudtestamentische tijden als instrumenten van de zwarte magie. Overleveringen vertellen hoe Mohammed eens getroffen werd door ziekte ten gevolge van een magische bezwering die het blazen op veelvoudige knopen behelsde. De formulering 'de jaloerse wanneer hij jaloers is' wordt vaak begrepen als verwijzend naar het 'boze oog', het ongeluk dat wordt opgewekt door afgunst. Pogingen om het boze oog te omzeilen of buiten werking te stellen kunnen van alles inhouden, van rituelen en amuletten tot smeekbedes, en vaak is er dan een functie weggelegd voor de Ochtendschemering, de Mensen, of beide. De verwijzing naar 'de stiekeme influisteraar' ten slotte, wordt het best begrepen als een verwijzing naar de verleidingen van de Satan, die kwade gedachten en onwaarheid influistert (denk ook aan het verhaal van de duivelsverzen).

De jongemannen van de grot

Een korte verhalende passage waarnaar de titel van de achttiende soera (De Grot) verwijst, is de geschiedenis van de 'jongemannen van de grot' (18:9-22). Het verhaal dat hier wordt verteld is gebaseerd op de vroegchristelijke legende van de Zeven Slapers van Efeze. Het speelt zich af in de tijd van de Romeinse christenvervolging en vertelt hoe zeven vrome jongelingen met hun hond een veilig heenkomen zoeken in een grot bij Efeze, schuilend voor vervolging door de Romeinse keizer Decius (die regeerde van 249-251). In de grot laat God hen in een diepe slaap vallen, waaruit Hij hen pas eeuwen later laat ontwaken, wanneer het christendom de Romeinse staatsgodsdienst is geworden. De jongemannen weten niet beter dan dat zij slechts korte tijd geslapen hebben en sturen een van hen eropuit met wat muntgeld om eten te kopen. Deze wordt bij zijn aankoop echter in de kraag gevat, aangezien zijn eeuwenoude munten de mensen van Efeze doen vermoeden dat hij een geheime schat heeft ontdekt. Hij leidt hen naar de grot en zo wordt het wonder van de Zeven Slapers ontdekt.

Dit verhaal is in meerdere versies bekend. De vaste ingrediënten zijn enkele vrome jongemannen, een hond, vervolging, eeuwenlang slapen in een grot totdat het gevaar geweken is, de verwarring bij het ontwaken en ten slotte de ontknoping door het eeuwenoude muntgeld. De christelijke context blijft in de Koranische versie achterwege: het gaat slechts om jongelingen die vrome dingen zeggen als 'Onze Heer is de Heer van de hemelen en de Aarde. Wij zullen in plaats van Hem geen god aanroepen; dan zouden wij iets afwijkends zeggen' (18:14). Meer dan dat komen we op basis van de soera van de Grot niet te weten over de geloofsovertuiging van de Koranische slapers. De Romeinse vervolgers worden niet bij name genoemd en ook de naam van de plaats Efeze blijft achterwege. Islamitische commentatoren hebben echter veel geschreven over het verhaal van de mannen van de grot en hebben daarbij de gaten in het verhaal gedicht. Historici van de tiende-eeuwse Tabari tot de veertiende-eeuwse Damiri bogen zich over de precieze invulling van het verhaal. Doorgaans wordt dan een christelijke context verondersteld, hoewel die christelijke component vaak op onnavolgbare wijze met islamitische vroomheid wordt verwisseld. In een van de versies bij Tabari lezen we dat de jongens wegens hun islamitische geloof worden vervolgd, terwijl ze een paar regels later de godsdienst van de Messias blijken te volgen. Als de jongen met het geld eropuit wordt gestuurd eten te kopen, ziet hij bij de ingang van de stad 'een markeringsteken van het geloof'. Van christelijke versies van het verhaal kunnen we hierin een crucifix herkennen, wat de verbazing van de jongeman verklaart: hij komt uit een tijd waarin dit markeringsteken door de gelovigen verborgen werd gehouden. In de voornoemde versie bij Tabari zijn het hier weer moslims: 'De moslims verborgen dit markeringsteken'. Zo gaat het nog een poosje door, totdat men de indruk krijgt dat de auteurs (Tabari, Damiri en hun zegsmannen) voor de pre-islamitische periode geen scherp onderscheid zien tussen moslims, christenen en ware gelovigen. De ware christen is immers door God geleid, en daarmee een moslim. Hierin zien we weer het problematische van het begrip 'pre-islamitisch': het gaat hier om de periode van vóór de prediking van Mohammed, niet om een tijd waarin de islam als 'Ware Godsdienst' niet zou hebben bestaan. De islam wordt immers gezien als de 'natuurlijke' godsdienst, de godsdienst van Abraham, Mozes en Jezus, die eeuwig waar is, en níet een uitvinding die pas in de tijd van Mohammed werd bekendgemaakt.

10 De Korantekst ter discussie

Iedereen die wel eens een krant heeft gelezen weet dat de wereld van de islam in voortdurende beweging is. De richting van die beweging is verre van eenduidig, maar het is wel duidelijk dat de vormgeving en maatschappelijke rol van het geloof centrale discussiepunten zijn, van Marokko tot aan Indonesië, maar ook in moslimgemeenschappen die als minderheid in niet-islamitische samenlevingen wonen. Het spreekt voor zich dat ook het Koranbegrip onderdeel is van deze discussie. Van allerlei kanten wordt er getrokken aan de Koran, om een bepaalde interpretatie of een bepaalde benadering te laten zegevieren. Daarnaast zijn er nog de inspanningen van wetenschappelijke zijde, waar evenmin eensgezindheid heerst over het wezen van de Koran. In dit hoofdstuk komen de controverses van zowel islamitische als academische snit aan bod.

Wetenschappelijke Korandiscussies

Hoewel het dienen van de wetenschap prima kan samengaan met het vasthouden aan een religieuze overtuiging, kan het natuurlijk ook gebeuren dat de wetenschap zich een vrome woede op de hals haalt. Dat is in islamitische context niet minder het geval dan in een christelijke. De wetenschappelijke bestudering van de Koran gaat (evenals bijvoorbeeld Kader Abdolahs seculiere literaire benadering) uit van Mohammed als feitelijk auteur van de Koran en stelt zich vervolgens vragen over de historische en maatschappelijke omstandigheden waarin Mohammed leefde en als profeet-politicus opereerde. Op het eerste gezicht is dit een fundamentele afwijking van de vroom islamitische benadering van de Koran, die God aanwijst als auteur en Mohammed ziet als Zijn spreekbuis. Men kan echter ook zeggen dat de wetenschappelijke benadering verrassend dicht bij de islamitische traditie blijft. Door uit te gaan van Mohammed als auteur, nemen de islamologen plaats naast de moslimgeleerden, om de biografie van Mohammed te bestuderen, de 'gelegenheden van de openbaring' (asbab al-nuzul) te onderzoeken, de overleveringsliteratuur tot zich te nemen, om kortom de geschiedschrijving van de vroegislamitische periode over te nemen van de islamitische traditie. Evident geloofsvereisende elementen als engelen die te hulp schieten bij een veldslag worden geduldig terzijde geschoven, totdat een geschiedenis overblijft die in grote lijnen niet afwijkt van de traditie. Maar wat nu als de biografische literatuur over Mohammed en de traditieliteratuur geschreven zijn om de Koran op een bepaalde manier begrijpelijk te maken? Zoals vermeld, stammen de gezaghebbende traditieverzamelingen uit de negende eeuw, en de oudste biografie van Mohammed dateert van minstens een eeuw na zijn overlijden. Het is heel goed mogelijk dat delen van die duidingsliteratuur zijn gecreëerd om allerlei Koranpassages een heldere (of wenselijke) betekenis te kunnen geven, of om stelling te nemen in theologische of politieke debatten. Die gedachte kwam al wel op bij grote negentiende-eeuwse oriëntalisten, maar het probleem was (en is) dat voor een alternatieve versie van de geschiedenis nauwelijks argumenten voorhanden zijn. Met andere woorden: het gangbare verhaal vertoonde fundamentele onzekerheden, maar elk nieuw verhaal zou minstens even grote gaten vertonen.

Toch bestonden er wel degelijk vrijzinnige visies op het ontstaan van de islam, zoals bij de Nederlandse oriëntalist Reinhart Dozy (*De Israëlieten te Mekka*, 1864). Dozy stelde bijvoorbeeld:

> Het Mekkaanse heiligdom is gesticht door Israëlieten, en wel door den stam Simeon, ten tijde van David. (...) Het Mekkaanse feest [i.e. de *hadj*] is door hen ingesteld; de plechtigheden, die daarbij plaats hebben, worden door de Israëlitische geschiedenis verklaard, evenals vele woorden, waarmede zij worden aangeduid, oorspronkelijk Hebreeuws zijn. (p.17-18)

Dergelijke theorieën, die ver afstaan van de orthodoxe leer, bleven doorgaans beperkt tot deelonderwerpen. In die zin zaten er dan ook grenzen aan wat er zoal betwijfeld kon worden. In *Mohammedanism* (1916) waarschuwt de vermaarde oriëntalist en koloniaal ambtenaar Snouck Hurgronje voor al te vurig ongeloof: 'In onze sceptische tijden staat weinig buiten kijf en vandaag of morgen kunnen we mogelijk horen dat Mohammed nooit heeft bestaan. De argumenten voor [deze stelling] kunnen haast niet zwakker zijn.' (p.16-17).

In onze tijd wordt Snoucks waarschuwing althans door sommigen in de wind geslagen: kritische bevraging van de bronnen heeft plaatsgemaakt voor radicale herschrijvingen van de geschiedenis zoals we die tot nu toe dachten te kennen. In 1974 verscheen bijvoorbeeld een Duitstalige studie getiteld *Over de oer-Koran: Uitgangspunten ter reconstructie van pre-islamitische christelijke strofische hymnen in de Koran.* De auteur, Günter Lüling, ging er in deze studie van uit dat de islam is begonnen in Mekka als een christelijke sekte die de drie-eenheid verwierp. Zijn hypothese is dat na verloop van tijd de gemeenschap zich omvormde tot een Arabische geloofsgemeenschap en de christelijke herkomst heeft uitgewist. In de Koran echter meende Lüling nog restanten te lezen van de oorspronkelijke verschijningsvorm van Mohammeds geloofsgemeenschap. Wat Lüling echter niet hielp was dat hij zijn theorie verbond aan zijn ideeën over religieuze hervorming van de islam. Uit de titel van de Engelstalige editie van zijn werk is duidelijk op te maken hoe hij zijn wetenschapswerk zag: *A Challenge to Islam for Reformation.* Als hedendaagse arabisten en islamologen nu één collectieve wens hebben, dan is het wel bevrijd te worden van de slechte naam die de oriëntalistiek in de islamitische wereld heeft; vaak is deze ervan beschuldigd 'eigenlijk' uit te zijn op het bekeren van moslims en het verzwakken van de islam. Lüling bewees zodoende zijn vakgenoten een slechte dienst. Om deze en andere, meer inhoudelijke redenen, geldt Lüling als een uitgerangeerd geleerde. Recente ontwikkelingen binnen het vakgebied roepen hem echter weer in herinnering, zoals hieronder zal blijken.

Een tweede Koranstudie uit de jaren zeventig die eveneens een haaks op de communis opinio staande visie presenteerde, was John Wansbroughs *Quranic Studies* uit 1977. Ook Wansbrough verwierp de interne islamitische bronnen, maar hij kwam tot een geheel andere conclusie. Volgens Wansbrough kreeg de Koran pas vorm in de achtste of de negende eeuw, ongeveer gelijktijdig met de periode waarin de begeleidende literatuur ontstond (i.e. traditieverzamelingen en Mohammedbiografieën). Plaats van handeling was volgens Wansbrough dan ook niet Mekka of Medina, maar Bagdad, alwaar de grote islamitische geleerden hun werk deden. De enorme tegenstelling tussen de positie van Lüling (de oerversie van de Koran is gelegen in een pre-islamitisch Mekkaans christendom) en Wansbrough (er was geen oerversie van de Koran: wat we hebben is een negende-eeuwse compilatie van teksten uit Bagdad) illustreert nog eens dat het loslaten van de islamitische duidingsliteratuur bepaald niet leidt tot meer zekerheid of eensgezindheid over de ontstaansgeschiedenis van de islam.

Bovenstaande studies zijn voer voor specialisten gebleven, zoals ook gebruikelijk is voor de vruchten van Koranonderzoek, dat vaak voor een groot deel onbegrijpelijk blijft voor leken en volstrekt oncontroleerbaar voor wie geen Arabisch beheerst. Het was dan ook bijzonder dat in 2000 een nieuw Koranonderzoek via talloze krantenberichten internationale bekendheid kreeg. Lezing van de betreffende artikelen maakte algauw duidelijk waarom nu juist dit onderzoek breed onder de aandacht werd gebracht. Het ging om een boek van Christoph Luxenberg, waarvan de Duitse titel te vertalen is als *De Syro-Aramese leeswijze van de Koran: een bijdrage tot de ontraadseling van de Korantaal*. Opnieuw betreft het hier een werk dat de islamitische begeleidende bronnen terzijde schuift en zich beperkt tot de Koran zelf, eventueel met gebruik van niet-islamitische, externe bronnen. Luxenbergs centrale these is dat de taal waarin de Koran oorspronkelijk is ontstaan en opgeschreven geen Arabisch is geweest: veeleer moet de Koran gelezen worden als een mengtaal van Arabisch en Syro-Aramees. Volgens Luxenbergs theorie was kennis van dit gegeven verloren gegaan tegen de tijd dat de Koran werd voorzien van diakritische tekens en klinkertekens. Degenen die deze tekens zetten hebben zo goed als dat ging geprobeerd om Arabische betekenis te geven aan hele passages die deels of geheel in het Aramees gelezen zouden moeten worden. Zo kon het gebeuren dat de passage waarin de Koran spreekt van de geneugten die de gelovigen ten deel vallen in het hiernamaals, niet werd begrepen. Daar waar puntjes en streepjes zodanig werden geplaatst dat er in het Arabisch 'grootogige maagden' (56:22) werden beloofd, werden volgens Luxenberg in het Aramees 'witte druiven' bedoeld. Vooral deze theorie over de transformatie van druiven in maagden deed het goed in de media. *Schadenfreude* kon niet uitblijven: wat zullen al die plegers van zelfmoordaanslagen op hun neus kijken!

In de vakliteratuur is Luxenberg niet erg positief besproken. In zijn oratie in 2004 veegde de Groningse arabist Fred Leemhuis de vloer aan met Luxenburgs methodologie. 'Op zo'n manier kun je ook op grond van Van Dale Engels-Nederlands zeggen dat het Engelse "a hand of bananas" bewijst dat het Nederlandse woord "hand" ook "tros" kan betekenen.' Enkele uitzonderingen daargelaten werd Luxenberg hard aangepakt. Luxenberg verdedigt zich door te stellen dat zijn tegenstanders op de man spelen, maar wie de recensies erop naslaat zal merken dat het toch voornamelijk de methodologische gebreken zijn waar hij om wordt gekapitteld.

Overigens zien we dat Luxenberg er geen geheim van maakt dat hij hoopt dat zijn theorie een hindernis zal betekenen voor fundamentalistische moslims, zoals hij in een interview stelde: 'Vooral de Medinensische soera's hebben een politieke inhoud, doen deels zelfs militant aan. Een herinterpretatie kan ertoe leiden dat het fundamentalisme dit soort ideologische interpretatie ontnomen wordt.' Dit doet denken aan Lüling, die met zijn Koranonderzoek een herziening van de islam (door moslims!) hoopte te bewerkstelligen. Een dergelijke overtuiging getuigt van een schromelijke overdrijving van het belang van de Koran. Voor de geleefde werkelijkheid van vandaag de dag is niet zozeer van belang wat de Koran in zijn oudste tekstlagen te zeggen heeft, maar veeleer wat hedendaagse gelovigen erin lezen. Het zijn de lezers van vandaag die bepalen wat de tekst vandaag betekent; en daarin worden dezen gestuurd door politieke, sociale en economische factoren. Als uit verder filologisch onderzoek zou blijken dat de veronderstelde maagden toch echt druifjes zijn, zal dat heus geen zelfmoordaanslag minder opleveren. Zoals de Australische Koranonderzoeker Daniel Madigan schreef: 'Helaas ligt de oplossing van de huidige dramatische situatie niet in de filologie.'

Theologische Korandiscussies

Het is van belang om de Korantekst niet te verwarren met de lezingen die er in latere tafsirliteratuur van zijn gegeven en die maar al te gemakkelijk als de vanzelfsprekend correcte duidingen worden opgevat. Ook zijn de klassieke schriftgeleerden vandaag de dag niet langer de vanzelfsprekende autoriteit waar het om vragen van duiding en exegese gaat. Integendeel, in de afgelopen eeuw is het traditionele gezag van de islamitische schriftgeleerden steeds meer ter discussie gesteld door zowel modernistische en liberale moslims als door radicale islamisten, die de schriftgeleerden afdoen als te conservatief, of als te zeer verbonden met politieke belangen van rijksoverheden; en door islamitische feministen, die erop wijzen dat historisch de schriftgeleerden vrijwel uitsluitend mannen waren, die in de loop der eeuwen steeds conservatievere en vrouwonvriendelijkere lezingen van allerlei Koranpassages zijn gaan geven. We bespreken hier kort enkele belangrijke hedendaagse visies. Het feit dat deze lezingen op allerlei wezenlijke punten sterk uiteenlopen, geeft al aan dat er vandaag de dag ook onder moslims een intensief debat wordt gevoerd over de duiding van de openbaring en daarmee van de praktische inrichting van het geloof.

Een roemruchte Korancommentator is de Egyptenaar Sayyid Qutb (1906-1966), die zijn omvangrijke commentaar *Fi zilal al-Qur'an* ('In de schaduw van de Koran') in gevangenschap schreef. Hoewel hij zich aanvankelijk bewoog in kringen van de seculiere liberale intelligentsia en met name van seculiere literatoren, ontwikkelde hij zich tot een propagandist van de fundamentalistische Moslimbroederschap. Begin jaren vijftig gingen de Moslimbroeders een pragmatische alliantie aan met het nationalistische en socialistische bewind van president Nasser, ondanks het feit dat zij ideologisch ver van elkaar verwijderd waren. Halverwege de jaren vijftig werd Qutb, samen met veel andere vooraanstaande leden van de Broederschap, gearresteerd en voor tien jaar gevangengezet. Het is vooral door deze ervaringen dat zijn latere opvattingen steeds radicaler en minder compromisgezind zijn geworden. Zijn korte pamflet *Ma'alim fi al-tariq* ('Mijlpalen op de weg') presenteert bondig enkele centrale ideeën uit zijn tafsir; het is een van de meest gelezen en invloedrijke teksten van de soennitische politieke islam van de twintigste eeuw.

Opvallend aan Qutbs werken is onder meer dat ze de klassieke tafsirliteratuur geheel negeren en zelfs nauwelijks een beroep doen op de literatuur van de hadith of profetische tradities; in plaats daarvan beroept Qutb zich vrijwel uitsluitend op de Korantekst zelf. Volgens Qutb is het bestuderen van de Koran geen puur theoretische bezigheid: de Koran is geen filosofisch traktaat dat slechts tot lezing en overdenking oproept, maar zet de mens aan tot actie en met name tot politieke actie. Die politieke actie zal bovendien volgens Qutb soms revolutionair of gewelddadig moeten zijn, wanneer staten dictatoriaal zijn en de rechten van het individu schenden. Met andere woorden, de islam wordt bij hem tot een politieke ideologie, die voor zover ze ook wereldse doelen nastreeft vergelijkbaar is met bijvoorbeeld liberalisme en socialisme. Voor Qutb is ze superieur aan beide, omdat ze betere waarborgen voor moraliteit en individuele vrijheid geeft, en doordat ze meer in overeenstemming is met de menselijke natuur.

Dat is een totaal nieuwe visie op de Koran en de islam, die geen enkel precedent in de klassieke of voormoderne islamitische wereld heeft. Het idee dat de islam niet zozeer een religie is maar een alomvattende politieke ideologie, die allereerst de belangen van de mensen hier op aarde dient, en zich pas in tweede instantie op het hiernamaals richt, is geen terugkeer naar de oorspronkelijke islam, zoals Qutb zelf verkondigt, maar een vernieuwing van de twintigste eeuw met verstrekkende gevolgen.

De politieke kern van 'Mijlpalen' is het idee dat de soevereiniteit of wetgevende macht bij God alleen berust. Qutb wijst daarom elke poging van de hand om de goddelijke wetten door menselijke wetten te vervangen, en een staat te vestigen die niet op deze goddelijke bronnen maar op bijvoorbeeld liberale, socialistische of nationalistische principes en doctrines is gebaseerd. Volgens Qutb komen al zulke regeervormen neer op een vorm van heerschappij van de ene mens over de andere en zijn ze daardoor per definitie dictatoriaal en illegitiem. Twee fragmenten van Koranverzen waarvan Qutb dankbaar gebruikmaakte waren '...het oordeel komt alleen God toe...' (12:40) en '...wie niet oordeel vellen volgens wat God heeft neergezonden, dat zijn de ongelovigen' (5:44). Een compromis met machten die hun gezag buiten Gods wetten om uitoefenen is uitgesloten; de enige manier om ermee om te gaan is dan ook de weg van de gewapende strijd. Niet alleen deze politieke lezing van de Koran is geheel nieuw, maar ook de radicale en zelfs revolutionaire wending die eraan wordt gegeven. Qutbs inspiratiebronnen liggen eerder in vroegtwintigste-eeuwse revolutionaire ideologieën van buiten de islamitische wereld, met name in het leninisme en het anarchisme, dan in de Korantekst of in de apolitieke en allerminst activistische tafsirliteratuur.

Opmerkelijk is voorts dat Qutb zijn oproepen tot geweld tegen staten niet rechtvaardigt met een beroep op relatief voor de hand liggende passages als het zwaardvers (9:5), maar uitgerekend op vers 2:256, 'in religie bestaat geen dwang'. Hij leest dit vers als een absolute eis van religieuze gewetensvrijheid die het, althans voor moslims, legitiem en wellicht zelfs noodzakelijk maakt om strijd te leveren tegen een regime dat deze menselijke vrijheid op de meest wezenlijke manier inperkt: impliciet concludeert hij hier dat Nasser de gewetensvrijheid van individuele moslims schendt. Als een regering mensen belemmert om als goede moslim te leven, mag ze bestreden worden, redeneert Qutb; sterker nog, ze moet bestreden worden, omdat ze niet gevoelig zal zijn voor overreding of onderwijs. Tegenover individuen daarentegen, vervolgt Qutb, zijn juist onderwijs en prediking gepast: juist omdat in religie geen dwang bestaat, kun je mensen niet dwingen tot het ware geloof of tot de beste morele opvattingen en gedragingen. Dat centrale beroep op gewetensvrijheid bij Qutb leidt dus tot een visie die je, wat provocerend gezegd, bijna liberaal of beter gezegd anarchistisch kunt noemen.

Een heel andere twintigste-eeuwse herlezing van de Koran wordt gegeven door de Soedanees Muhammad Mahmud Taha (1909-1985), die na vele jaren van oppositionele activiteiten op gezag van de toenmalige Soedanese president Nimeiri werd opgehangen, kort voor een staatsgreep een einde maakte aan Nimeiri's bewind. Taha werkte in de specifieke context van postkoloniaal Soedan. Decennialang woedde daar een burgeroorlog tussen het islamitische noorden en het niet-islamitische zuiden van het land; in de jaren tachtig werd in sommige regeringskringen de invoering van de sharia bepleit, maar die dreigde niet-moslims automatisch tot tweederangsburgers te reduceren. Taha formuleert dan een islamitisch alternatief voor de sharia, dat voorziet in een zelfbestemming voor moslims die niet ten koste gaat van de rechten van niet-moslims. Dat doet hij vanuit het perspectief van een gelovige moslim die aanvaardt dat Koran en *sunna* (het profetelijk voorbeeld, zoals dat uit de tradities gekend kan worden) van goddelijke oorsprong zijn. De sharia echter is volgens hem niet goddelijk: ze is het resultaat van de menselijke interpretatie van die bronnen. Dit onderscheid tussen de islam als religie en de menselijke duidingen ervan is door wel meer moslims verkondigd; maar Taha's kritiek is radicaler. Dat wordt met name duidelijk in de verdere uitwerking die zijn volgeling Abdullahi al-Na'im eraan heeft gegeven. Volgens Na'im liggen vooral de Medinensische verzen van de Koran ten grondslag aan de sharia. Zolang het kader van de sharia wordt aangehouden, gaat hij voort, zal het onmogelijk zijn om juridisch geïnstitutionaliseerde praktijken, zoals slavernij en discriminatie van vrouwen en niet-moslims, af te schaffen. Taha en Na'im bepleiten daarom een strikt onderscheid tussen de Mekkaanse en de Medinensische verzen van de Koran. De Medinensische verzen, die de basis vormen van de latere sharia, zijn volgens hen strikt gebonden aan de historische omstandigheden van de vroege moslimgemeenschap en hebben geen praktisch nut, laat staan geldigheid, voor de totaal andere wereld van vandaag. De Mekkaanse verzen daarentegen, ondanks hun schijnbare onpraktische en vaak duistere karakter, bevatten de waarlijk universele kern van het islamitische recht. De lezing van Taha en Na'im komt feitelijk neer op een ongewoon soort naskh of abrogatie; ze bepleit de afschaffing van de later geopenbaarde verzen ten gunste van de vroegere. Deze visie heeft buiten oppositionele kringen in Soedan relatief weinig weerklank gevonden, maar ze maakt duidelijk dat er door en onder hedendaagse moslims diepgaande en radicale debatten gevoerd worden, niet alleen over de vraag over hoe de Korantekst moet worden geduid, maar ook over de vraag welke delen van de Koran vandaag de dag nog bruikbaar zijn.

Datzelfde geldt in nog sterkere mate voor de feministische lezingen die in recente jaren van de Koran zijn gegeven. In de islamitische wereld en daarbuiten zijn er stemmen die verkondigen dat de islam als religie en de Koran als openbaring inherent patriarchaal en vrouwonvriendelijk zijn. Naast zulke seculiere vormen van feminisme zijn er echter ook auteurs die proberen om op basis van hun eigen lezing van de Koran, en met een beroep op theologische argumenten, de patriarchale Koranlezingen en als 'islamitisch' gelegitimeerde patriarchale praktijken in de islamitische wereld, te bestrijden. Twee van zulke 'islamitische feministen' zijn de van oorsprong Pakistaanse Asma Barlas en de Amerikaanse bekeerlinge Amina Wadud. Barlas' centrale theologische uitgangspunt is dat God onrechtvaardig is en met name dat hij geen *zulm* uitoefent of leert, ofwel onrecht dat zich tegen de rechten van andere personen keert. Ook wijst ze het veelal impliciete patriarchale godsbeeld van veel eerdere schriftgeleerden af: ze benadrukt dat God geen menselijke kenmerken heeft en daarom ook geen specifiek mannelijke kenmerken kan hebben.

Op basis van deze twee theologische uitgangspunten bekritiseert ze bestaande lezingen, omdat die tot zulm tegen vrouwen leiden of dergelijk onrecht legitimeren. Zo bestrijdt ze de wijdverbreide lezing van Koranverzen 4:34-35 dat mannen de voogden van hun vrouwen zijn en dat ze die mogen slaan wanneer ze ongehoorzaam zijn. Barlas brengt hiertegen in dat *qawwamun* niet 'voogden' of 'overheersers' betekent, maar veeleer 'beschermers' of 'ondersteuners'. Daarnaast betoogt ze dat *qanitat* weliswaar duidt op 'gehoorzame vrouwen', maar dat in het midden wordt gelaten of dit gehoorzaamheid betreft jegens echtgenoten, of veeleer jegens God. Volgens Barlas staat nergens in de Koran expliciet dat vrouwen moeten gehoorzamen aan hun echtgenoten; maar hiertegen spreekt dat 4:35 vervolgt met 'als zij jullie dan gehoorzamen, dan moeten jullie niet proberen haar nog iets aan te doen'.

Langs vergelijkbare lijnen redeneert Barlas ten aanzien van het slaan van vrouwen. Volgens haar en volgens Wadud kan het werkwoord *daraba*, dat doorgaans wordt vertaald met 'slaan', hier evengoed 'ten voorbeeld stellen' of 'afzonderen' betekenen. Wadud vindt het significant dat hier juist niet het intensivum *darraba*, 'herhaaldelijk of hard slaan' wordt gebruikt en leest dit vers daarom juist als een strenge inperking van bestaande praktijken, waarin geweld tegen vrouwen geheel niet aan bepaalde grenzen werd gebonden.

Het is aan de lezer om al dan niet overtuigd te worden door de argumenten in dit specifieke geval. Al doen Barlas' lezingen misschien wat vergezocht aan, ze maken duidelijk dat het mogelijk is om op basis van de Korantekst ook tot andere visies op man-vrouwverhoudingen te komen dan traditioneel gedaan is. Een andere benadering zou zijn om te kijken of je deze verzen kunt beschouwen als geabrogeerd door andere passages. Er is echter geen a priori-reden om aan te nemen dat de lezing van 4:34 als ondubbelzinnig verwijzend naar mannelijke superioriteit en gerechtvaardigde mishandeling, de enige juiste of verdedigbare zou zijn.

11 Ten slotte

Het moge duidelijk zijn: de Koran is duidelijk een tekst die je moet leren lezen. Dit heilige boek heeft geen duidelijk opgebouwde verhaallijn of gedachtegang, en bevat allerlei herhalingen en duistere uitspraken waarvan de zin en het nut de lezer in eerste instantie maar al te makkelijk ontgaan. Veel gelovigen zullen die duisterheid aanvaarden als een onontkoombaar onderdeel van de openbaring, of erop vertrouwen dat er schriftgeleerden zijn die de duiding ervan desgewenst kunnen vaststellen of verduidelijken. Anderen stellen zich de kritischer vraag hoe we de Koran vandaag de dag moeten verstaan en welke delen ervan überhaupt nog relevant zijn voor de wereld van nu. Voor al deze visies zijn er precedenten in de islamitische wereld. Kritisch debat over de waarde en relevantie van de verschillende delen van de Koran voor het heden zijn net zozeer van belang in de islam als kritisch debat over de Bijbel in het christendom; maar een dergelijk debat wordt ook onder hedendaagse moslims intensief gevoerd. Het is goed om dat in herinnering te houden, omdat maar al te vaak de indruk wordt gewekt dat discussie over de Koran alleen door niet-moslims (academici of politici of 'opiniemakers') wordt geëntameerd, en dat moslims slechts vasthouden aan een vastgeroeste doctrine, die sinds de tijd van Mohammed niet meer zou hebben bewogen.

Voor de Nederlander van vandaag – moslim of niet – is een kritische en nuchtere kijk op de islam als religie, en op de Koran als de centrale heilige tekst ervan, van groot nut. Dat nut laat zich gelden in interreligieuze sociale contacten, maar ook in de behoefte aan een meer op feiten en minder op fantasieën gebaseerde stellingname in wat wel het 'islamdebat' wordt genoemd. Dat deze constatering al drie eeuwen oud is doet – helaas! – niets af aan haar actualiteit.

Transcriptie

Voor de transcriptie van Arabische namen, termen en tekstfragmenten is gekozen voor een vereenvoudigde versie van wat in de Engelstalige literatuur gebruikelijk is. Het onderscheid tussen korte en lange klinkers wordt bij de transcriptie van namen en termen niet gemaakt. Dit onderscheid wordt wel gemaakt bij de transcriptie van tekstpassages: lange klinkers worden voorzien van een accent circonflexe (*ar-rahmân ar-rahîm*). De letters *ayn* [‘] en *hamza* [’] worden alleen geschreven als ze zich ín een woord voordoen, dus niet aan het begin of het eind van een woord, tenzij het een tekstfragment betreft, dan worden deze letters altijd geschreven.

Bovenstaande geldt niet voor ingeburgerde namen en woorden, zoals Mohammed, Koran en sharia.

Bij de uitspraak is van belang het volgende in gedachten te houden:

u	Uthman	als *oe* in boek
dj	Djalal	als j in jerrycan
kh	Khalid	als *g* in graag
’	mu’min	de zogenaamde glottisslag, die men maakt tussen de twee *a*’s in na-apen.
‘	Na‘im	de zogenaamde ayn, kan voor wie het Arabisch niet machtig is (en op dat gebied ook geen ambities heeft) het best voor een ’ aangezien worden.

Verder lezen

Vanzelfsprekend verwijzen wij op deze plaats in eerste instantie naar de Koran zelf. Zoals in de inleiding reeds vermeld heeft de Nederlandse lezer de beschikking over verscheidene opties. De klassieke Kramersvertaling (Arbeiderspers 1992 en later) komt in de meest recente gebonden editie met een informatieve cd-rom en is anders als goedkope paperback beschikbaar. De vertaling van Leemhuis (Wereldvenster 1989, latere edities bij Unieboek) heeft in tegenstelling tot Kramers de Arabische tekst parallel aan de vertaling. Ook de vertaling van Siregar (ICCN 1996 en later) en de Ahmadiya-vertaling (Stichting Ahmadiyya Isha'at-i-Islam, meerdere edities) bevatten de Arabische brontekst.

Wellicht wat gedateerd, maar nog altijd een grondige en veelzijdige introductie is *Inleiding tot de Koran* (De Ploeg 1986 en later) van de Schotse islamoloog Montgomery Watt (gest. 2006), die overigens teruggaat op een eerder werk (uit 1953) van Watts landgenoot Richard Bell. Anton Wessels schreef de sympathieke inleiding *De Koran verstaan* (Ten Have 1995). Alleen nog in bibliotheken verkrijgbaar is de gevarieerde bundel onder redactie van Marjo Buitelaar en Harald Motzki, *De Koran: ontstaan, interpretatie en praktijk* (Coutinho 1993). Nog wel verkrijgbaar is een recent nummer van het tijdschrift *ZemZem*, gewijd aan hedendaagse betekenissen van de Koran (Stichting ZemZem, jaargang 3, nummer 3, 2007). Een inleiding die meer geschreven is vanuit een vroom perspectief is Ljamai's *Inleiding tot de studie van de Koran* (Boekencentrum 2005). Meer gespecialiseerde Nederlandstalige werken zijn bijvoorbeeld Karel Steenbrinks *De Jezusverzen in de Koran* (Boekencentrum 2006), Omar Nahas *Islam en homoseksualiteit* (Bulaaq 2001) en het 'moslimfeministische' werk van Amina Wadud, *De Koran en de vrouw* (Bulaaq 2004). *De omstreden bronnen van de islam* van Mulder en Milo (Meinema 2009) leest als een journalistieke variant op Dan Brown en geeft ruim baan aan de alternatieve Koranstudie.

Voor gedegen handboeken moeten we het Nederlands taalgebied verlaten. Jane Dammen McAuliffe redigeerde de handzame *Cambridge Companion to the Qur'an* (Cambridge University Press 2006). Onmisbaar voor specifieke vragen is de *Encyclopedia of the Qur'an* (Brill 2004), die met haar zes delen minder handzaam is, maar gelukkig ook digitaal ter beschikking staat. Een zeer boeiende congresbundel die de recente discussies over het ontstaan en de taal van de Koran van meerdere kanten belicht, is *The Qur'an in Its Historical Context* onder redactie van G.S. Reynolds (Routledge 2008).

Arabische woordenlijst

ahl al-kitab	'De mensen van het boek', m.n. de joden en de christenen.
asbab al-nuzul	'De aanleidingen van de Openbaring', de literatuur over de situaties waarin de afzonderlijke Koranverzen werden geopenbaard.
aya	'Vers' van de Koran.
dar al-islam	'Huis van de islam', klassieke benaming voor de islamitische wereld (gekoppeld aan begrippen als *dar al-harb* en *dar al-sulh* etc., resp. 'Huis van de oorlog' en 'Huis van het verdrag').
da'wa	'Uitnodiging, propagatie', het prediken van het geloof.
djinn	Bovennatuurlijk wezen, kan goed- of kwaadwillig zijn.
hadith	'Traditie' of 'overlevering'. Doorgaans wordt bedoeld een overlevering die iets zegt over Mohammeds doen of laten. In de eeuwen na Mohammeds dood zijn meerdere gezaghebbende traditieverzamelingen aangelegd.
hadj	'Pelgrimage', i.h.b. die naar Mekka.
hanif	Term die de Koran hanteert voor het 'zuivere geloof', zoals dat van Abraham. Werd mogelijk in de vroegste ontstaansperiode van de islam gehanteerd als benaming voor Mohammeds geloofsleer.
hidjra	'Migratie', de verhuizing van Mekka naar Medina door Mohammed en zijn volgelingen in het jaar 622, begin van de islamitische jaartelling.
hudud (ev. hadd)	'Begrenzingen', term gehanteerd voor de zogenaamde 'Koranische straffen'.

i'djaz	'Niet-imiteerbaarheid', een aspect van de uniciteit van de Koran.
iman	'Geloof', zoals bedoeld in de categorie 'mu'min' q.v.
kafir	'Ongelovige' of 'ondankbare' (jegens God).
khalifa	'Opvolger', opvolger van Mohammed, in het Nederlands: kalief.
khatam al-nabiyyin	'Het zegel der profeten', Koranische aanduiding van Mohammed, waarmee Mohammeds 'bevestiging' ofwel 'afsluiting' van voorgaande profetische boodschappen wordt aangeduid.
kufr	'Ongeloof' of 'ondankbaarheid' (jegens God).
mala	'Raadsorgaan', naam voor de vergadering van clan-oudsten te Mekka.
masih	'Messias', Koranische betiteling van Jezus.
mihna	'Beproeving', een negende-eeuwse, kortstondige inquisitie ten dienste van de mu'tazilitische staatsdoctrine.
mu'min	'Gelovige', doorgaans in de betekenis van 'moslim', maar in de Koran soms ook een categorie die joden en christenen omvat, in de betekenis 'gelovend aan de Enige God'.
Mu'tazila	Naam van een theologische groepering die rationalistische interpretatie van de Koran voorstond, in plaats van te vertrouwen op exegetische overleveringsliteratuur.
nabi	'Profeet' cf. rasul.
naskh	'Abrogatie', ofwel afschaffing van (de geldigheid van) een bepaald Koranvers door een (later) Koranvers.
rasul	'Gezant' cf. nabi.
sharia	De islamitische wet.
soera	'Hoofdstuk' van de Koran.
tafsir	Koranuitlegging.
takfir	Het tot ongelovig ('kafir' q.v.) verklaren van een mede-moslim.
tawhid	'Eenheidsverklaring', de verklaring en de doctrine dat God één en ondeelbaar is.

ulama	'Geleerden', i.h.b. op het gebied van de religieuze wetenschappen, in dit boek vertaald met 'schrift-geleerden'.
ummi	'Analfabeet' of 'volks'.
wali	'Vriend van God', heilige.
zulm	'Onrecht'.

Register van namen

Register van aangehaalde Koranpassages

Eerder zijn in deze reeks verschenen:

Boeddhisme in een notendop
Bert van Baar

De Nederlandse geschiedenis in een notendop
Herman Beliën & Monique van Hoogstraten

De klassieke oudheid in een notendop
Herman Beliën & Fik Meijer

Filosofie in een notendop
Jan Bor

De Engelse literatuur in een notendop
Odin Dekkers

Oosterse filosofie in een notendop
Michel Dijkstra

De Byzantijnse geschiedenis in een notendop
Hein van Dolen

De Griekse mythologie in een notendop
Hein van Dolen

Romeinse sagen en verhalen in een notendop
Hein van Dolen

De islam in een notendop
Dick Douwes

De toekomst in een notendop
Patrick van der Duin & Hans Stavleu

Fysica in een notendop
Maarten Franssen

Militaire geschiedenis in een notendop
Bart Funnekotter

De genetica van de mens in een notendop
Joep Geraedts

Intelligentie in een notendop
Wim van de Grind

Economie in een notendop
Arnold Heertje

Religie in een notendop
Jan Hondebrink

Het koningshuis in een notendop
Carla Joosten

Popmuziek in een notendop
Gijsbert Kamer

Het Vaticaan in een notendop
Ewout Kieckens

Wiskunde in een notendop
Martin Kindt & Ed de Moor

Chemie in een notendop
Henk van Lubeck

De bijbel in een notendop
Fokkelien Oosterwijk

De Amerikaanse geschiedenis in een notendop
Jan van Oudheusden

De Eerste Wereldoorlog in een notendop
Jan van Oudheusden

De geschiedenis van China in een notendop
Jan van Oudheusden

De geschiedenis van het Midden-Oosten in een notendop
Jan van Oudheusden

De wereldgeschiedenis in een notendop
Jan van Oudheusden

De geschiedenis van Frankrijk in een notendop
Niek Pas

Klassieke muziek in een notendop
Katja Reichenfeld

Darwin in een notendop
Marc van Roosmalen

Franse literatuur in een notendop
Franc Schuerewegen & Marc Smeets

De Nederlandse krijgsmacht in een notendop
Jan Schulten

De geschiedenis van het Nederlands in een notendop
Nicoline van der Sijs

De moderne wereldliteratuur in een notendop
Maarten Steenmeijer & Franc Schuerewegen

De 20ste eeuw in een notendop
Hans Ulrich

Beleggen in een notendop
Erica Verdegaal

President Obama in een notendop
Frans Verhagen

Psychologie in een notendop
Frans Verstraten

Keltische sagen en verhalen in een notendop
Ranke de Vries